VIRGULES
TÉLÉGUIDÉES

PIERRE SURAGNE

VIRGULES
TÉLÉGUIDÉES

COLLECTION « ANTICIPATION »

ÉDITIONS FLEUVE NOIR
6, rue Garancière - PARIS VIᵉ

© 1980, « Éditions Fleuve Noir », Paris.

ISBN 2-265-01219-X

C'est fini le bon temps où l'armée était uniquement le refuge des esprits de troisième ordre.

Voilà qu'au sein de cette Grande Famille, les fous, les déments grimés et maquillés, se carrent le cul dans les fauteuils de premier rang. Voilà qu'ils ont pris position dans le trou du souffleur.

CHAPITRE PREMIER

La sueur était progressivement venue au front de Léridan, avec les rides soucieuses creusées dans la peau brune. Du dos de la main, il essuya cette moiteur luisante, s'efforçant de rendre le geste machinal. Ses doigts tremblaient, trahissant sa nervosité. Entre le pouce et l'index, Léridan saisit le mégot humide collé au coin de sa lèvre inférieure ; il considéra longuement le papier jauni, noirci, avant d'effriter le tabac gorgé de salive. Puis il essuya ses doigts sur son pantalon de velours rude. Il dit :

— Je ne te crois pas, Juan-Majin.

Juan-Majin prit un air ahuri, qu'il conserva quelques secondes, avant de pousser un long soupir et de hausser les épaules, fataliste. « Si tu ne me crois pas, Léridan Jorgue, c'est ton affaire, et je n'y peux rien. »... Voilà ce que signifiait son attitude.

Il jeta un coup d'œil du côté de Mueppe Dalavio, son éternel complice, mais ce dernier regardait ailleurs, en direction du troupeau de chèvres sur la pente encore jaune, et sèche, qui plongeait vers le village.

Juan-Majin était de ce genre de types interminables, tout en os et en muscles filiformes, qui donnent l'impression de se plier en six ou sept lorsque, tout simplement, ils s'assoient. Pommettes saillantes et joues creuses, avec une dentition chevaline, des yeux d'un noir total profondément enfouis dans leurs orbites, le cheveu raide et dru, la peau des mâchoires bleuissante sous la barbe, même fraîchement rasée.

Juan-Majin haussa encore les épaules, puis il tira de sa poche de chemise un paquet de cigarettes toutes faites : un paquet de papier joliment coloré, rouge et blanc, avec des lettres dorées et un sur-emballage de cellophane transparent soigneusement découpé à une extrémité. (Des cigarettes achetées en ville par Enrique Bastèle, certainement.)

Mueppe Dalavio et Léridan regardèrent sans mot dire Juan-Majin qui extirpait précautionneusement une cigarette du paquet, la pinçait entre ses lèvres. Juan-Majin rempocha le paquet rouge et blanc, sans l'avoir

présenté aux deux hommes assis sur le petit
muret de pierres sèches.

— Demande à Mueppe, alors, dit-il. (La
cigarette s'agita tandis qu'il parlait ; il ne
semblait pas avoir l'intention de l'allumer,
comme s'il voulait la faire durer.) Demande
à Mueppe si je mens.

Mueppe était tout aussi râblé et ramassé
en nœuds lourds que son camarade était
élancé. Ses poignées de main vous
secouaient de la tête aux pieds. Comme
Juan-Majin, comme Léridan (comme tous
ceux du village de Calata), il avait le poil
noir, la peau brune. D'épaisses moustaches
tombantes lui dévoraient la lèvre supérieure
et leurs pointes dégoulinaient de chaque
côté du menton carré ; ses joues portaient
une barbe de deux ou trois jours. Il attendit
que Léridan lui pose la question, mais
Léridan ne fit rien de mieux que le regarder
interrogativement.

— C'est vrai, dit finalement Mueppe,
après avoir soutenu un moment le regard
bleu de ciel de Léridan. C'est ce que nous a
dit Enrique, lorsqu'il est revenu de San
Josua, ce matin. Et nous, on est venus te
prévenir. Pourquoi est-ce qu'on te raconte-
rait des histoires ?

— Pourquoi ? dit Léridan, avec un rapide

sourire. (Il cligna des yeux en direction du troupeau, à quelques dizaines de mètres, sur la pente d'herbe rare. Puis il soupira, regarda à nouveau Juan-Majin.) Ce ne serait pas la première fois, non ? Vous vous y entendez, tous les trois, pour faire des farces.

Juan-Majin sourit à son tour, rapidement, mais la mimique n'avait rien de gai. Ou bien il était sincère, ou bien... voilà l'ennui, avec eux, songea Léridan : on ne peut jamais savoir s'ils plaisantent ou non... En tout cas, moi, je ne peux jamais savoir.

— C'est entendu, dit Juan-Majin, et la cigarette qu'il n'avait toujours pas allumée se remit à tressauter au coin de ses lèvres. C'est d'accord : on a souvent rigolé, avec toi, et on t'a fait des farces. Mais ce n'est pas le cas en ce moment. On ne va pas te forcer, Léridan. Tu peux suivre notre conseil, et filer te cacher tout de suite dans la montagne, ou bien venir te rendre compte par toi-même au village... mais si tu le fais, tu risques d'être pris. C'est tout.

— Enrique... qu'est-ce qu'il va faire, Enrique ? demanda Léridan. Pourquoi est-ce qu'il n'est pas venu, lui ? Et vous deux, qu'est-ce que vous allez faire ?

Juan-Majin et Mueppe échangèrent un

coup d'œil. Bon sang, ils n'avaient pas l'air de plaisanter ! Vraiment pas... Léridan remarqua que Mueppe transpirait abondamment, lui aussi, et qu'il essuyait fréquemment son front du bout des doigts, entre les mèches grasses de ses cheveux bleutés. Le temps d'un éclair, il fut convaincu de leur sincérité, et dans le même temps balayé par la peur. Car s'ils disaient vrai, c'était tout simplement atroce. Inimaginable. C'était un gouffre ouvert tout à coup devant Léridan... et pour n'y point basculer, peut-être, il préféra refouler sa conviction, douter encore.

Juan-Majin dit :

— Enrique fait ses paquets. Il va filer dans la montagne. C'est ce qu'il va faire, il l'a dit, et c'est pourquoi il n'est pas venu.

— C'est Enrique qui vous a dit de me prévenir ?

— Non, dit Juan-Majin. Il était trop énervé pour penser à toi, je crois. Il ne pensait ni à toi, ni à Magda, si c'est ça qui te tracasse. Il pensait à faire ses paquets et à filer. Il a dit qu'ils ne l'attraperaient jamais. Que cette guerre n'était pas son affaire. Il était pressé, et peut-être qu'il marche déjà dans la montagne, en ce moment. Il ne nous a même pas demandé, d'ailleurs, si l'un de nous voulait partir avec lui.

— Je crois que ça ne lui disait rien, souffla Mueppe.

— C'est ce que je crois aussi, admit Juan-Majin avec un nouveau sourire, un peu amer et difficilement crâneur. Il avait l'air de vouloir être seul.

Il se tut. Le chien aboya, courant derrière un couple de chèvres qui s'éloignait du troupeau. Malimitos, le gamin, était assis sur un affleurement de roc, les genoux relevés, les coudes posés dessus, faisant tourner une baguette entre les doigts de sa main droite. Il s'entraînait depuis des jours et des jours ; à présent, il était capable de dérouler plusieurs séries de moulinets. Le chien revint vers le troupeau : les deux chèvres trottaient devant.

— Malimitos…, dit Léridan. Ils l'emmèneront, lui aussi ?

Juan-Majin secoua sa maigre tête allongée de gauche à droite. Il se gratta le dessus de la cuisse.

— Ils ne prennent que les hommes au-dessus de vingt ans. C'est ce qu'Enrique a dit.

— Mais bon Dieu, les soldats…

— Ecoute, coupa Juan-Majin. Ce n'est

pas la peine de s'énerver. On t'a dit tout ce qu'on savait et ce n'est pas beaucoup. Mais voilà : c'est une guerre, et les soldats ne suffisent pas. Ils ont besoin de tout le monde, car c'est une guerre comme on n'en a jamais vu. A San Josua il y en a qui disent...

Il se tut et enleva la cigarette d'entre ses lèvres. Il la considéra longuement.

— Qu'est-ce qu'ils disent ? pressa Léridan.

Juan-Majin le regarda bien en face. C'était indubitable : il n'avait pas la tête de quelqu'un qui s'amuse.

— Il y en a qui disent que les ennemis sont venus... sont venus d'ailleurs. Voilà. C'est ce qu'Enrique a entendu raconter.

— Ailleurs ? fit Léridan.

— D'une autre planète, dit Juan-Majin.

Et il retourna la cigarette, pinça l'extrémité non humide au coin de sa bouche ; il planta deux doigts dans sa poche de chemise, en tira son briquet. Un briquet de laiton, qu'il décapuchonna. D'un coup de pouce, il fit tourner la molette. La mèche imbibée d'essence cracha une haute flamme fumeuse. Juan-Majin alluma sa cigarette, éteignit la flamme en pinçant la mèche entre ses doigts, remit le capuchon sur le briquet et le briquet dans sa poche.

Tout en soufflant une grosse bouffée de fumée, il regarda de nouveau Léridan.

Et les mots tournaient, rebondissaient dans la tête de Léridan. Les mots se cognaient aux parois de son crâne, battaient ses tempes. *Une autre planète...* C'était tellement... énorme ! Une farce ? Mais si c'était une farce, comment Juan-Majin pouvait-il concevoir que Léridan goberait une pareille absurdité ?

— Tu peux rire, dit Juan-Majin, sur un ton irrité.

Léridan s'aperçut qu'il riait et les coins de ses lèvres retombèrent. Il dit :

— Un jour, vous m'avez entraîné à San Josua. Vous m'aviez dit que les habitants de la ville vivaient dans un tel enfer de bruit qu'ils préféraient se faire couper les oreilles... et aussi le nez, pour ne pas sentir les puanteurs des voitures. Je vous avais crus et je vous ai suivis. Vous m'avez laissé là-bas...

— Ce n'est pas pareil, dit Juan-Majin. Demande à Mueppe si je mens. Le temps des blagues, c'est fini.

Léridan baissa les yeux. Il contempla ses mains, ouvrit et referma ses doigts, plusieurs fois.

— Vous êtes venus me faire peur, dit-il.
Je partirai dans la montagne, un mois plus
tôt que la saison normale, et vous irez dire à
Magda que... Vous irez lui raconter votre
blague. Enrique dira : « Et c'est ce poltron
qui te tourne autour, Magda ! Il a cru que
des ennemis venus d'une autre planète
menaçaient la Terre ! Il a cru cette fable et il
s'est enfui, sans se soucier de toi ! »

Petit à petit, il sentait gonfler la colère en
lui, comme une boule chaude au creux de
son ventre, un sourd battement dans sa
gorge. Depuis toujours on se moquait de lui,
on ne manquait jamais une occasion de
jouer avec sa naïveté, sa crédulité. Enrique
était le meneur, les deux autres suivaient...
Ils étaient farceurs, oui, mais Léridan se
demandait parfois s'il ne s'agissait pas de
méchanceté.

Pourtant, c'étaient ses amis. A la première occasion, ils venaient lui donner un
coup de main, par exemple quand il tannait
les peaux de chèvres. Lorsque Léridan avait
parlé, un jour, de se construire une maison
sur les pentes des premières pâtures, les
trois compères avaient immédiatement
offert leur aide, mais le projet n'avait toujours pas vu le jour. Il y avait Magda... et
Magda devenait de jour en jour plus jolie.

Et si Enrique s'était mis dans la tête de se marier avec elle ?

— Sur ma tête, dit Juan-Majin, je te le jure, Léridan. Ce n'est pas une farce. Je te le jure. Enrique est allé hier à la ville, pour y vendre des galoches de cuir et acheter des choses. Il est revenu ce matin, alors que normalement il aurait dû rester là-bas plusieurs jours. Voilà ce qu'il nous a dit, et on te l'a répété. C'est tout. Il a dit que la ville grouillait de soldats, et qu'ils rassemblent les hommes de plus de vingt ans. C'est la guerre de l'autre côté des montagnes, dans le pays de France-Europe. C'est là que ça a éclaté, et c'est terrible, à ce qu'on dit. Ce sera peut-être la guerre ici, dans notre pays à nous, en Espagne-Europe, Léridan, si on ne s'y met pas tous.

— Mon pays, dit Léridan, buté, c'est ici. C'est Calata Pueblo.

— D'accord, fit patiemment Juan-Majin. Mais si la guerre vient en Espagne-Europe, elle viendra à Calata. Elle viendra ici. Elle sera partout. Alors, ils disent qu'il n'y a pas de temps à perdre, et qu'il faut s'y mettre, tous. C'est pourquoi ils mobilisent, et c'est pourquoi les soldats ne suffisent pas.

Léridan secoua la tête.

— Je ne suis pas si stupide que tu crois.

La guerre n'existe plus, et c'est grâce aux soldats : aux soldats de tous les pays, et à la Dissuasion. La guerre est impossible, car le pays qui la déclarerait serait perdu, écrasé par toutes les armées de l'Union des Forces Armées Mondiales. On nous a appris cela, Juan-Majin. Je le sais.

Mueppe laissa filer un long soupir sous l'écran épais de sa moustache.

— C'est ce qu'on a tous appris, dit-il.

— Mais ce qui est en train de se passer est imprévu, poursuivit Juan-Majin. Totalement imprévu. L'U.F.A.M. n'y peut rien, sinon mobiliser en masse et au plus vite, dans les pays limitrophes, autour du champ de bataille. Ce n'est pas l'armée d'un pays qui a déclenché le carnage.

Léridan le regarda bien en face, droit dans les yeux. Il était quasiment certain que Juan-Majin ne mentait pas. Au fond de lui, il en était persuadé, mais sa raison refusait d'admettre une semblable situation. C'était beaucoup trop fou. Les paroles de Juan-Majin tournoyaient toujours dans sa tête. Il dit :

— Il n'y a pas d'autres planètes. C'est un mensonge. Peut-être qu'Enrique s'est trompé, qu'il a mal entendu, mal compris ? Ça ne peut pas exister.

— Qu'est-ce que tu racontes ? dit sourdement Juan-Majin. Il y a des autres planètes. Et tu le sais.

— Mais elles ne sont pas habitées. C'est ce que je voulais dire.

Juan-Majin tira une longue bouffée sur sa cigarette. Il exhala la fumée, plissa les paupières. D'un revers de main, il chassa une grosse mouche bleue qui bourdonnait au-dessus de son genou.

— Comment expliquer, alors ? dit-il. Pourquoi est-ce qu'ils mobiliseraient tout le monde, au lieu de laisser faire les armées ?

— Il n'y a pas la guerre, dit Léridan. Enrique s'est trompé. Ou alors c'est une farce.

Mueppe Dalavio dit :

— Enrique est en train de faire ses paquets, et il va filer se cacher dans la montagne, voilà la vérité. Il a dit que les agents recruteurs de San Josua allaient venir ici, au village. Ils vont dans tous les villages de montagne, quand c'est impossible de prévenir les policiers par téléphone ou je ne sais comment. Ils vont dans les villages, et ils viendront ici. C'est pourquoi Enrique fait ses paquets. Peut-être qu'il est déjà parti. Il ne nous a pas demandé de le suivre.

Cette dernière phrase, et le ton sur lequel

elle avait été prononcée, achevèrent de convaincre Léridan de la sincérité des deux hommes assis devant lui sur le tas de pierres sèches. Qu'Enrique Bastèle ne se soit pas soucié de ses amis, voilà qui peinait Mueppe, c'était sûr.

— Et nous, dit Juan-Majin, on est montés te prévenir. Tu es des nôtres, Léridan. Un ami. Tu es de la bande. D'accord, on a souvent plaisanté et on t'a fait des blagues. C'est vrai. C'était pas toujours très malin, mais c'était pas méchant non plus. Cette fois où on t'a perdu à San Josua, on est allé te rechercher, deux jours après.

— J'avais pas besoin de vous.

— Non. Mais on est allé te rechercher. C'était pas méchant. Et maintenant, c'est une guerre, là-bas. On pensait la chose impossible, mais c'est venu. C'est une guerre, et ils disent que les ennemis ne sont pas des Terriens. Bon Dieu, Léridan ! je sais pas, moi, si c'est vrai ou non, mais c'est la seule explication à tout ce remue-ménage. Une guerre *normale* est impossible car l'Armée veille, et l'Armée forge la Paix. On envoie bien des fusées, nous, de la Terre vers les autres planètes, Léridan ! Sangre ! je sais pas plus que toi ce qu'il en est exactement, mais c'est un fameux bouleversement, là-bas, à ce que dit Enrique !

— Je me fous des fusées, des autres planètes, de l'Espagne-Europe, de la France-Europe, du reste ! gronda Léridan. Ce qui compte, c'est Calata Pueblo.

Juan-Majin cracha au sol. Sa cigarette n'était plus qu'un minuscule mégot, qu'il secoua avec précautions. Il le pinça délicatement, aspira une dernière bouffée, puis l'écrasa contre une pierre. Il se leva. Du bout des doigts, il aurait pu toucher le ciel. Mueppe se leva également, et après une courte hésitation, Léridan les imita.

— On t'a prévenu, voilà, dit Juan-Majin. Tu feras ce que tu veux. Ou bien tu files dans la montagne si tu ne veux pas que les recruteurs de la ville t'embarquent, ou bien... n'importe quoi. Ce que tu veux.

Léridan dit :

— Il y a un poste, au village. Un poste de radio qui fonctionne sans fils électriques. Le poste d'Amadéo. Est-ce qu'ils ont parlé de la guerre, dans ce poste ?

— Je ne crois pas, dit Juan-Majin après avoir interrogé Mueppe du regard. Mais c'est tout récent, d'après ce qu'a dit Enrique. Ou peut-être qu'ils ne veulent pas trop en parler ?

— Pourquoi ?

Juan-Majin haussa les épaules.

— Je ne sais pas.

— Et vous, demanda Léridan, vous allez vous cacher ?

— Je ne crois pas, dit Juan-Majin, les yeux brillants. On va attendre les recruteurs, s'ils viennent. Quand j'étais petit, j'aurais voulu être soldat. C'est quelqu'un, un soldat. Mais ils n'avaient pas besoin d'effectifs, et puis il y avait le père, et la ferme, ici à Calata. J'ai la chance de le devenir aujourd'hui. On verra.

— On s'en ira d'ici, dit Mueppe. Si c'est vraiment des types d'un autre monde, j'aimerais bien voir ça !

Léridan dit :

— Tu les verrais tout autant en restant ici... puisqu'il paraît que la guerre sera partout.

Mueppe ne répondit point. Il se contenta de grimacer dans sa moustache.

— Bon, fit Juan-Majin. On redescend. Adieu, Léridan, si tu pars dans la montagne.

Ils lui serrèrent la main, tournèrent les talons.

Longtemps, Léridan les suivit des yeux, tandis qu'ils dégringolaient la pente. Puis ils disparurent derrière les premières haies.

Il restait là, dans le soleil déjà chaud du printemps, les odeurs nouvelles des sèves et des humus que portait le courant d'air descendu des montagnes. Les montagnes... géantes, grises, bleues, rosâtres, violettes, ou comme des plaies de neige déchirées dans le ciel. Gigantesques, muettes, pierres de silence trop éloignées pour qu'on perçoive les pleurs du vent dans les dédales du roc, ou la glissade molle d'une ultime avalanche, ou les craquements des glaciers. Les montagnes, et par-delà, le monde.

La guerre.

Comment la chose pouvait-elle être possible ?

*
* *

L'abri était de pierres chaulées. Quatre murs, dont l'un percé d'une porte. Une toiture d'un seul pan, charpentée de troncs d'épicéas simplement écorcés, même pas équarris, sur lesquels reposait la couverture de pierres plates. Une cabane de six mètres sur quatre, environ. L'abri des petites pâtures, avant les longues marches vers les hautes combes.

Ç'avait été un soir rouge, un soir pour le beau temps, avec les grands crocs blancs de la montagne qui se teintaient de tous les roses imaginables, puis se cariaient de crevasses violettes. Un ciel rouge, comme si, là-bas, de l'autre côté de la montagne, la guerre allumait d'impensables brasiers...

Léridan frissonna. Le chien assis devant le poêle leva vers lui un regard interrogateur.

La bougie émergeant des boursouflures de cire qui coiffaient le goulot de la bouteille avait une mèche trop longue, une flamme tremblante qui éclairait à peine. Par l'interstice de la porte du poêle, le feu de racines lançait des éclairs brefs, et la lumière dansait sur les poils fauves du chien. Il faisait bon, dans la cabane. Chaud. Avec une odeur de soupe qui flottait dans la pénombre.

Malimitos, le gamin, était assis au bout de la table de planches rudes. Il feuilletait un catalogue épais, aux pages froissées, salies, souvent déchirées. Il avait quinze ans, ou peut-être moins, Léridan ne savait pas exactement. C'était son cousin. Il l'aimait bien, mais ne s'était jamais intéressé à son âge exact... Il savait que c'était aux alentours de quinze ans.

Malimitos avait eu beaucoup de peine à apprendre à lire et à écrire, pourtant il ne quittait guère ce catalogue qui venait de la ville. C'était le catalogue d'une grande manufacture du sud du pays (du moins, Léridan le croyait) et tous les articles étaient représentés par des dessins colorés, et c'était encore mieux que des photographies.

La gamin sentit le regard de Léridan sur lui ; il leva les yeux, secoua la tête pour rejeter en arrière une mèche de cheveux. Ses dents brillèrent, éclairées dans le sourire par la lueur de la bougie. Il dit :

— Le père m'a promis un fusil neuf, si je vends beaucoup de peaux et de chèvres et si ma récolte de sarrasin est belle. Un fusil comme celui-ci (il posa son doigt sur la page du catalogue, devant lui). Pour la chasse.

— La chasse ?

— Pour les ours.

— Il n'y a plus beaucoup d'ours, tu sais.

— Alors, pour les bouquetins. On ira à San Josua. On ira acheter le fusil là-bas. Ils ont tout ce qui est écrit et dessiné dans le catalogue, là-bas.

Léridan ne répondit point, mais il hocha la tête. Un nœud de résine péta dans le fourneau et le chien sursauta, écouta un instant puis laissa retomber sa tête sur ses pattes étendues.

— Malimitos, dit Léridan.

Le gamin le regardait, les mains posées à plat sur le catalogue ouvert devant lui.

— Je vais descendre au village, dit Léridan. Tu vas rester ici, avec le chien et les chèvres. D'accord?

Malimitos ne répondit rien, ni oui, ni non, mais dans l'ombre Léridan vit qu'il fronçait les sourcils.

— C'est pour cette nuit, rien de plus, dit Léridan. Je serai ici demain.

— C'est à cause de Juan-Majin et Mueppe? demanda le gamin.

— Pourquoi?

— Je ne sais pas. Mais ils sont venus, et tu as l'air embêté. Il y a quelque chose qui ne va pas?

Léridan grimaça une mimique qu'il voulait apaisante.

Quelque chose qui ne va pas... C'est la guerre, gamin, à ce qu'il paraît, de l'autre côté des Pyrénées. La guerre avec des ennemis venus d'ailleurs, tombés du ciel, tu entends ça?... Ou bien c'est une jolie farce que trois joyeux lurons ont mis sur pied pour rigoler aux dépens d'un pauvre idiot...

— Qu'est-ce que tu vas chercher? Tout va bien.

Léridan se leva, enfila sa veste de peau de chèvre, coiffa son bonnet.

— C'est à cause de Magda? demanda Malimitos.

Léridan sourit. Combien, parmi les cent trois habitants de Calata, ignoraient les sentiments qu'il éprouvait pour Magda Riccès, la deuxième fille de Léonora et Paolo Riccès, le forgeron ?

— C'est ça, dit-il. J'ai envie de voir Magda.

— Dans la nuit ?

— Pourquoi pas, dans la nuit ?

— Parce que tu n'as jamais parlé à Paolo. Est-ce que tu as couché avec Magda ? Est-ce que Paolo le sait ?

Léridan fronça les sourcils, se demandant quel âge avait réellement Malimitos, tout à coup.

— Hé ! dit-il, amusé. Tu es bien curieux, non ? Tu crois qu'on peut coucher comme ça avec Magda ?

— Demande à Enrique Bastèle, ce grand couillon...

Cela fit un grand bruit, dans la tête de Léridan. Et comme si le sang se retirait de ses veines.

— Qu'est-ce que tu veux dire ? grogna-t-il.

Si un gamin comme Malimitos posait de telles questions, ou faisait de telles allusions... Sainte Mère ! Il était véritablement un idiot ! Bien entendu, c'était une blague !

une farce abominable montée de toutes pièces par ces trois calamiteux, et ils espéraient bien le voir filer dans la montagne, et ce salaud d'Enrique aurait tout son temps pour...

— Qu'est-ce que tu veux dire ? répéta-t-il d'une voix qui vibrait.

— Rien, fit Malimitos. Simplement qu'Enrique tourne autour de Magda, et que si tu ne te dépêches pas...

— C'est tout ?

— Bien sûr, c'est tout. Seguramente.

Léridan tourna les talons. Devant la porte, il s'arrêta, dit :

— Si je ne suis pas rentré demain matin, ramène le troupeau.

— Au village ?

— Au village.

Il sortit, claqua la porte derrière lui sans laisser le temps au gamin de s'étonner plus avant et de poser des questions.

CHAPITRE II

A vingt-trois ans, Léridan paraissait plus que son âge, et c'était à son avantage. Il était plus grand que la moyenne des hommes de la montagne, sans pour autant faire figure de géant, bien loin de là, et sans que sa taille puisse se comparer avec celle de Juan-Majin qui, lui, tenait du phénomène. Il avait les os et les muscles longs, une allure générale élancée et svelte que l'imperceptible voussure des épaules ne parvenait pas à émousser.

Le soleil de l'été, et peut-être davantage encore celui de l'hiver, avait teinté sa peau, lui donnant cette couleur particulière du pain bien cuit ; le vent qui avait si bien su éroder le roc au fil des temps avait également travaillé à la sculpture du visage de Léridan, signant au creux des rides et des infimes craquelures de l'épiderme. La chevelure du jeune homme était d'un noir total : une noirceur qui ajoutait encore à l'éclat presque translucide de son regard bleu.

Léridan Jorgue était typiquement de la montagne et typiquement de Calata Pueblo.

Il était né au village ; quelques jours après sa naissance, sa mère y était morte, à cause de la grosse neige qui avait empêché le docteur de San Josua d'arriver à temps. Il avait fallu attendre plusieurs jours avant de pouvoir déblayer la couche blanche, au fond du cimetière ; après quoi les hommes avaient fait un grand feu pour dégeler la terre et malgré cela, Camin, le fossoyeur, avait cassé net un fer de pic en s'y prenant trop tôt et en voulant piocher le sol plus dur que de l'acier. Le feu avait brûlé un jour entier. Ils avaient enseveli Pépita Jorgue à une profondeur de deux mètres. Le lendemain, la neige avait tout effacé ; il ne restait que la mémoire.

Souvent, Matias Jorgue avait conté l'événement à Léridan. Bien avant même que le petit garçon puisse comprendre. Léridan avait quinze ans lorsque Matias était mort à son tour, emporté par un glissement de terrain, lui, son cheval et sa carriole, et le chemin sur lequel ils se trouvaient, à trois kilomètres au sud du village. On avait retrouvé le cheval, les brancards et une roue de la charrette.

A quinze ans, Léridan avait presque déjà sa taille d'homme, ce regard bleu ordinairement rêveur mais qui pouvait cependant se transformer le cas échéant et devenir métal, froideur absolue. Si les rides n'étaient pas encore creusées, la barbe couvrait déjà ses joues et son menton. Tous les travaux qu'il convient de faire régulièrement pour entretenir une maison ne lui faisaient pas peur et il était « doué pour les chèvres »... Au point que le troupeau commun du village lui fut naturellement confié.

Il savait tanner, travailler le bois, maçonner. Il demeura dans la maison de son père, à l'extrémité nord de Calata, occupant ses hivers aux travaux de réfection, tannage des peaux, confection de colliers de bois, vannerie ; au retour des belles saisons, il montait dans la montagne avec le troupeau et faisait des séjours plus ou moins longs, en différents secteurs, sur des pâturages plus ou moins hauts.

Ce n'était pas l'isolement absolu, les distances n'étaient pas très importantes — le village lui-même étant situé à bonne altitude — et Léridan pouvait se permettre d'aller et venir entre le pâturage et Calata Pueblo. Il y retrouvait les amis, Juan-Majin, Enrique, Mueppe, d'autres encore.

Il retrouvait Magda.

Et c'était à Magda qu'il songeait, courant parmi les pierrailles et les talus pelés, dans cette nuit fraîche de printemps. A Magda, plutôt qu'à cette éventualité aberrante de guerre au-delà des montagnes, cette histoire folle que Mueppe et Juan-Majin étaient venus lui raconter. Il courait à longues enjambées souples, évitant très naturellement les pierres ou les mauvaises ornières. Il dévalait les pentes et crevait les halliers bruissants habillés des cotonnades tendres que tissaient les bourgeons crevés.

Le ciel était chargé d'étoiles scintillantes et la lune était ronde, très lumineuse, grimaçant là-haut comme un masque ; la lune répandait sur la terre une clarté bleuâtre, froide et cassante, et les ombres ressemblaient à autant de plaies de sang caillé, des caresses bizarres, et figées. La montagne était encore plus haute qu'en plein jour, comme si la nuit tout entière était venue se coller à cette masse déchiquetée, n'épargnant que les sommets enneigés.

Parfois, Léridan cessait de courir et se contentait de marcher rapidement, faisant

crisser sèchement la pierre sous ses semelles. Il reprenait souffle, attendait que sa
respiration eût retrouvé un rythme normal,
essuyait la transpiration qui recouvrait son
visage sur son avant-bras, puis il se remettait
à courir.

Il songeait à Magda.

A la vérité, en y réfléchissant bien, Léridan ne cessait guère de songer à Magda. Et
ce n'était pas nouveau. Depuis toujours, il
pensait à elle, et tout le temps, d'une
manière ou d'une autre. Comme il pensait
au village, à ses chèvres, à son travail, à la
montagne, parce que le village (et ses habitants), les chèvres, le travail, la montagne
composaient l'univers de Léridan... Et
Magda se trouvait au sommet, supervisant
cet univers.

Lorsqu'il menait le troupeau, Léridan
s'acquittait au mieux de cette tâche en
songeant à Magda ; lorsqu'il tannait les
peaux, réparait un loquet, replaçait un carreau, tressait des saules pour en faire un
pannier ou une corbeille, il le faisait en
ayant au fond de l'œil l'image de Magda.
Lorsqu'il avait pris cette décision de
construire un jour une nouvelle maison, en
limite des premières pâtures, c'était en pen-
sant à Magda.

La chose était naturelle.

Depuis quelque temps, cependant, le rêve de Léridan débordait sur la réalité, de la même façon qu'un arroyo grossi brutalement se met à dévorer ses berges sans qu'il soit possible de tenter quoi que ce soit pour l'en empêcher. Léridan avait mis du temps à l'admettre, peut-être parce qu'il avait peur, au fond de lui, peur que cet univers au sein duquel il flottait, et qu'il arrangeait à sa guise, ne s'effrite brusquement, ne s'effondre... comme la berge minée par le torrent s'écroule un jour, emportée par les flots.

Mais il était forcé de voir les choses en face, à présent, et s'il avait encore espéré pouvoir tricher, les paroles prononcées par ce sacré Malimitos le rappelaient définitivement à la raison. Tout le monde, au village, semblait connaître les sentiments qu'il éprouvait pour Magda Riccès. Tout le monde, et pas seulement les amis qui le plaisantaient fréquemment à ce propos (il minimisait l'impact des boutades en les enrobant dans son rêve), pas seulement Enrique Bastèle... Si Malimitos en personne se mettait à faire des réflexions...

Alors... et Magda ?

Il la connaissait depuis toujours. Depuis les premiers temps où il était allé traîner du côté de la forge de Riccès pour y regarder le gros homme et son aide marteler des barres de fer rouge, ou bien pour se soûler à l'odeur de corne brûlée dans l'âcre fumée jaune, quand le fer chaud est apposé sur le sabot d'un cheval. Il était petit garçon. Il avait rencontré Magda, petite fille. Et l'un et l'autre avaient grandi ensemble partageant leurs jeux, leurs fous rires ou leurs larmes et chagrins, poussant côte à côte d'une manière si naturelle et évidente qu'imaginer une séparation était proprement inconcevable.

Sauf accident, le pouce et l'index ne se conçoivent pas l'un sans l'autre et leur complémentarité fait qu'une main est une main. Les saisons qui coulent et métamorphosent les arbres avaient pareillement enrichi les sèves rouges du garçon et de la fille pour en faire un jeune homme et une jeune femme. Et, bon Dieu, que c'était là un beau travail !

Voilà que Magda avait maintenant dix-neuf ans, que c'était une fille rieuse, généreuse, qui aimait ce qu'aimait Léridan. Elle était toujours prête à l'accompagner pour une promenade sur les pâtures, elle était là lorsqu'il revenait au village. Les hivers, quand son travail le lui permettait, elle venait lui rendre visite, s'asseyait au sol parmi les copeaux et les épluchures de saules...

Pour Léridan, cela ne faisait pas l'ombre d'un doute que Magda vieillirait avec lui ; ils étaient désignés, elle et lui, depuis le commencement des temps, par tous les dieux ou les forces (appelons cela comme on voudra) de la montagne. Il suffisait d'attendre le jour.

Mais Enrique Bastèle tournait autour de Magda. Lorsque Léridan s'en aperçut, il se sentit traversé par une véritable langue de feu. Enrique plaisantait, et Magda riait. C'était de la jalousie ? Peut-être oui. Léridan n'acceptait pas l'idée que cet Enrique à grande gueule puisse envisager de plaire à la jeune femme. A partir de là, le rêve avait commencé à s'effriter...

Et Léridan avait pris peur... peur, tout à coup, de Magda elle-même, qui n'était plus tout à fait la Magda qu'il connaissait puisqu'elle retenait l'attention des autres. La Magda qu'il connaissait ? Mais précisément : il ne la connaissait pas.

Naturellement, elle devint dix fois plus jolie, avec ses longs cheveux d'un noir bleuté, son visage ovale, ses yeux si noirs, sa bouche aux lèvres pleines, avec son corps souple aux hanches rondes, à la poitrine gonflant le corsage... Naturellement, le désir jusqu'alors jugulé, ou ignoré, en tout cas détourné, explosa dans les premières bourrasques de cette tempête qui se levait dans la tête de Léridan. Simultanément, l'évidence même d'une future union devint problématique pour le jeune homme torturé.

Il doutait et il craignait. Le fait qu'il eut embrassé deux ou trois fois Magda et qu'il ait pu considérer cela comme un pacte, un signe indubitable engageant l'avenir, cela devenait ridicule. Ils avaient raison, ses amis, de se moquer de lui et de sa candeur : il n'était pas seulement naïf, mais idiot. C'était même probablement ce que devait penser Magda, au fond d'elle-même...

Ce soir, cette nuit, fouaillé par une étrange sensation qui mêlait équitablement la peur et la détermination, Léridan avait pris une décision et il allait agir. Il prenait pied dans le réel.

Cette nuit, l'idiot allait mourir.

Juan-Majin et Mueppe, obéissant très probablement à ce grand veau d'Enrique, étaient venus lui conter une fable dans l'espoir de voir l'idiot mordre à belles dents dans le gâteau poivré de la farce. Seulement voilà : ils en seraient pour leurs frais. Léridan se réveillait et les farceurs étaient loin de se douter qu'ils étaient à l'origine de sa prise de conscience ; sans le vouloir, ils l'avaient tiré du sommeil, croyant s'amuser à ses dépens.

Il allait agir.

Il frapperait à la porte du forgeron Riccès. Il dirait : « Je suis venu vous parler, Paolo, c'est important. » Evidemment, Paolo serait étonné, il marquerait un temps d'hésitation, c'était sûr : Léridan imaginait son visage rond, son regard plissé sous les sourcils en buissons. Paolo serait étonné non pas de la visite de Léridan, mais par l'heure tardive de cette visite. D'ailleurs, peut-être serait-il couché...

Il se relèverait, crierait par la fenêtre, derrière le volet entrouvert : « Qu'est-ce que c'est ? » Et Léridan : « C'est moi, Paolo. Moi, Léridan Jorgue, qui voudrais vous parler. » — « Qu'est-ce qui t'arrive, Léridan, à cette heure de la nuit ? » — « Rien de grave, Paolo. Mais c'est important... » Paolo finirait par lui ouvrir. Il le ferait entrer dans la salle commune de la maison, traînant les pieds (Paolo Riccès est un homme qui traîne les pieds), l'inviterait à s'asseoir à la grande table. Il poserait la

bouteille de vin aigre sur la table, devant
Léridan, la bouteille et les verres. « Parle,
Léridan. » Et il verserait le vin.

Il n'y avait aucune raison pour que Paolo
Riccès se moque de lui, ou qu'il ne l'écoute
pas, ou qu'il rejette sa demande. Aucune
raison. Paolo était un brave homme, qui
considérait presque Léridan comme son
propre fils. Que dirait-il ?

Léridan cessa de courir. Il marcha jusqu'au sentier taillé à flanc de coteau, se
laissa glisser le long du talus et prit pied sur
le sol dur tassé par des milliers et des milliers
de chèvres. Là, un instant, il s'immobilisa.

Le sentier bordé de haies touffues ren-
dues opaques, de nouveau, par l'éclosion
des nouvelles feuilles, plongeait doucement
vers le plateau lointain, vers les bosquets et
les flaques de forêt qui entouraient Calata
Pueblo. Dans cette direction, il y avait
comme une vague lueur, filtrant à travers les
taillis lointains, et le ciel en paraissait doré.
Cela produisait le même effet moiré que
lorsque la neige d'une nuit hivernale réver-
bère les lueurs des lampes vers les nuages
bas.

Mais il n'y avait pas de neige, pas de
nuages bas. Et normalement, les lampes

auraient dû être éteintes, dans les maisons aux volets clos.

Léridan, reprenant son souffle, regardait la faible lueur à travers les branches agitées par le vent flâneur. Il regardait, mais ne voyait pas. Son esprit était ailleurs.

Il se remit en marche, machinalement ; sa chemise moite collait au creux de ses reins, sous ses aisselles.

Etait-ce bien malin de s'adresser d'abord à Paolo ? Plus il y songeait, après avoir patiemment composé et répété la scène mentalement (après avoir tout mis au point), moins Léridan était sûr du bien-fondé de cette initiative.

Il grogna, cracha rageusement de côté.

Evidemment, c'était idiot. L'idiot faisait des choses idiotes.

C'était avec Magda qu'il devait avoir une conversation. C'était Magda la première concernée, Magda et lui. Il devait lui parler, lui avouer que...

Lui avouer quoi ? Qu'il l'aimait, qu'il avait été cinglé de ne pas le dire avant, d'avoir tant attendu, qu'il l'aimait probablement depuis le premier regard qu'il avait posé sur elle, là-bas, tout au fond de l'enfance. Lui dire. Avec des mots, des paroles, des sons, et non pas des regards, des imaginations, des pensées. Lui dire avec des gestes. Lui dire que la maison future serait merveilleusement belle et que... non, pas la peine, pas maintenant. Lui dire qu'Enrique Bastèle et les autres ne se moqueraient plus de lui, que ce temps-là était fini, révolu.

Evidemment, c'était ce qu'il fallait faire. Réveiller Magda.

Et si elle rit, Léridan?

Si (pourquoi non?) elle hoche la tête, peinée par ce qu'elle va devoir dire, immensément triste au fond de sa poitrine pour le pauvre Léridan...

C'est impossible, décida Léridan, ravalant violemment l'abominable perspective. C'est impossible, N'imagine rien. Tire un peu de silence sur ce vacarme qui braille dans ta tête. Attends. Ce qu'il faut faire, c'est agir, parler. Après...

Après...

Léridan s'immobilisa une fois de plus, tout net. Les muscles de ses jambes étaient douloureux et tremblaient spasmodiquement. La sueur avait progressivement imbibé toute sa chemise, sous le gilet de peau. Il frissonna.

A moins de cinq cents mètres, au bout du sentier qui filait entre les arbres, c'était le village. Calata Pueblo.

Et si ce n'était pas la fête, alors, qu'est-ce que c'était ?

Les lumières venaient de la rue centrale, du côté de la plazza. Des feux de joie ? Des torches et des lampes à pétrole. Beaucoup de torches, beaucoup de lampes à pétrole. Les lueurs rousses et jaunâtres illuminaient le faîte des maisons proches et transformaient celles des avant-plans en découpages d'ombres brutes. Comme une nuit de Saint-Jean, à la fête annuelle de l'été.

On entendait également des éclats de voix, flottant dans cette lumière qui trouait la nuit. Mais pas de rires, ni de musique, comme c'était le cas lors de la fête de l'été.

Léridan fit un pas, deux pas. Il marchait. Il allait vers le village, comme une phalène hypnotisée.

Et voilà qu'il ne songeait plus à Magda.

Voilà que la peur lui retournait le ventre, au souvenir des paroles prononcées par Juan-Majin et Mueppe, levant en lui une méchante et irrépressible envie de vomir.

Mais il ne songea pas une seconde à tourner les talons pour s'enfuir à toutes jambes vers la montagne. Pas un instant. Au contraire, il marchait de plus en plus vite et pénétra dans le village en courant presque.

CHAPITRE III

Le serjefe Spori Dunove ne se sentait pas spécialement bien dans sa peau. Pourtant, il aurait dû. Les événements auraient dû lui convenir parfaitement. Mais non.

Il y avait quelque chose, dans tout cela, qui n'était pas clair, ne tournait pas rond. Spori Dunove, serjefe de l'armée régulière d'Espagne-Europe T. (T. pour Territoire) en avait conscience, et c'était bien ce qui l'ennuyait. Normalement, en bon soldat professionnel, il n'avait pas à se poser de questions. Il avait à obéir aux ordres, point à la ligne. Obéir et puis laisser aux autres le soin de réfléchir.

Seulement voilà : il ne pouvait s'empêcher de s'interroger, de loin en loin, et le plus dingue était qu'il ne parvenait pas à se forger le plus petit embryon de réponse satisfaisante.

Dieu sait pourtant que depuis le début de sa carrière Spori Dunove avait souvent reçu des ordres incompréhensibles et qui se rattachaient à des missions totalement hermétiques dont les aboutissants lui échappaient tout à fait. Mais jamais comme cette fois.

Ce contexte flou dans lequel il évoluait l'irritait. Naturellement, cela n'allait pas jusqu'au traumatisme, il ne faut pas exagérer, mais c'était... irritant, voilà. Irritant. Sans cela, tout aurait été parfait, voire excitant, puisque, de toute évidence, Spori Dunove et ses semblables étaient amenés à exercer réellement leur métier de soldats.

Il se demanda une fois de plus comment réagissaient les autres serjefes disséminés dans le secteur. Il se demanda si Ramon Oliveiro, ou Bastiano Santez, ou Miguel-Andrés Maracolta, qui officiaient présentement dans la ville de San Josua, se posaient les mêmes questions, connaissaient les mêmes incertitudes.

Là encore, aucune réponse possible... et il ne leur poserait certainement pas la question.

Spori laissa rouler entre ses lèvres minces un juron fatigué. Il quitta le fauteuil dans lequel il était assis, jeta un coup d'œil vague, machinal et sans but, sur la carte du secteur

étalée sur la table basse, puis vers le téléphone muet. Il marcha jusqu'à la table de
chevet sur laquelle un garçon d'étage (ou un
serveur ? un maître d'hôtel ?... bref, un type
du personnel) avait déposé le plateau. La
bouteille de Champagne dans le seau à
glace, et le verre.

Il emplit la coupe et la vida d'un seul trait.
Il n'aimait pas spécialement le Champagne
— toutes les boissons gazeuses lui donnaient
des aigreurs d'estomac — mais au moins
cette boisson était fraîche. Ce n'était que le
début du printemps, pourtant la ville baignait dans une atmosphère moite et sur-
chauffée ; la nuit n'y changeait rien, pas plus
que la proximité des hautes montagnes
enneigées. Spori se demanda ce que cela
donnait en plein été, et comment les habitants de San Josua pouvaient résister. En
général, d'ailleurs, il se demandait comment
les gens pouvaient vivre dans une ville.

Il était originaire de Mallorca, fils d'un
médecin spécialiste en cardiologie de la ville
de Palmeira, sur la côte ouest. Il avait grandi
là-bas, puis il était entré dans les rangs
glorieux de l'armée dans le sud du pays,
qu'il n'avait jamais quitté au fil de ses
mutations, et c'est dire qu'il ne craignait pas
le soleil et la chaleur. Mais l'air épais, la

grasse moiteur qui écrasait San Josua, c'était autre chose. Ou alors l'oppression était directement liée à son trouble.

Spori se versa une seconde coupe de Champagne, regarda les bulles danser dans le liquide avant de venir éclater à la surface. Il accéléra le pétillement en trempant son doigt dans le vin clair et en l'agitant. Puis il but une gorgée. Verre en main, il traversa la pièce, entra dans la salle de bains, posa le verre sur le bord du lavabo. Il considéra son reflet dans le miroir.

Aucun miracle ne s'était produit : Spori Dunove avait quarante-trois ans. De petite taille en dépit des semelles compensées à l'intérieur de ses chaussures, le torse musclé, mais trop rond, façon tonnelet, les bras trop longs. L'image dans le miroir sourit crânement, le coin des lèvres retroussé une fraction de seconde. Plus les années passaient, et plus Spori ressemblait à son père, le docteur Dunove.

Il s'était fait une raison et devait bien s'accommoder de cette tête carrée, au menton un peu lourd, au nez coupant, avec ces deux rides verticales qui lui sciaient les joues et encadraient sa bouche, aux poches fripées sous les yeux vert-brun, à la calvitie presque totale, à présent, qui n'épargnait qu'une bande de cheveux coupés ras filant d'une oreille à l'autre en passant par la nuque. Il fallait bien s'habituer, pas vrai? et se faire une raison.

Pendant longtemps, Spori aurait souhaité ressembler à Amédéo Carreira, par exemple. Carreira avait été un grand acteur de cinéma, non seulement sur le plan du physique, mais par le talent également. Il avait en outre à son actif un bon nombre de films pro-militaristes, à la gloire de la Paix mondiale, qui lui avaient valu une belle part de son succès auprès des femmes. Carreira... Le soldat *idéal.*

Sa cote d'amour avait été très forte dans les casernes, également, pas seulement auprès des femmes. A présent, c'était un vieux bonhomme qui vivait sur sa fortune, quelque part (ou bien il était mort? Spori n'en savait rien). Dans ce temps-là, lorsqu'il voulait ressembler à Carreira, Spori s'était lancé comme un fou dans la culture physique, les séances d'élongations musculaire et osseuse, la natation... Il avait pris du muscle, mais n'avait pas grandi d'un centimètre, à part les bras, peut-être...

Peu à peu, il était devenu ce petit tonneau nerveux, puis il avait perdu ses cheveux (le port du casque !), puis... il avait compris que tous ses efforts seraient à jamais vains.

Il ouvrit le robinet, laissa couler l'eau froide (elle était tiède) et baigna ses mains sous le jet. Il s'humidifia le visage, referma le robinet, saisit le verre et avala le reste de son contenu. Les premières aigreurs d'estomac se manifestèrent alors qu'il retraversait la pièce. Il s'assit sur le lit, qui grinça. Posa le verre vide sur le plateau.

La rumeur de la ville, ou plutôt de la rue, parvenait jusqu'à lui, traversant la fenêtre fermée, s'insinuant dans la pièce comme si les cloisons, les murs de l'hôtel, avaient été de papier mâché. Bruits de moteurs des camions qui se rangeaient et manœuvraient devant les entrepôts des abattoirs, conversations entremêlées, glapissements de quelques sous-officiers supervisant les manœuvres... sans compter le brouhaha permanent qui s'élevait de la foule des curieux, tous ceux, hommes, femmes et enfants, qui accompagnaient les mobilisés, ou qui plus simplement venaient là pour assister au spectacle.

Tout le jour, la ville avait été en effervescence, et la tension n'avait pas faibli, avec la nuit. Dans certains secteurs, les forces de police civiles et militaires avaient eu fort à faire pour maintenir le calme. Naturellement, la population devait se poser une multitude de questions... L'immuable réponse était : manœuvres de guerre pour un conflit extra-terrestre en secteur France-Europe — plan de mobilisation générale extra-militaire — sous dépendance U.F.A.M. du secteur concerné.

La radio nationale était muette (les autres postes également) en ce qui concernait un complément d'informations, diffusant un programme musical non-stop, uniquement interrompu toutes les demi-heures par des conseils d'obéissance aux forces armées. (Censure de l'information, songeait Spori, afin d'éviter parmi la population civile l'explosion et la propagation de foyers de panique... et c'était une mesure salutaire, à voir ce qui se passait malgré tout dans certains secteurs du pays. Mais c'est impossible d'éviter les bavures : les civils ne sont que des civils et leur éducation, en ce qui concerne la discipline, ne vaut certainement pas celle d'un soldat...)

Les radios de France-Europe étaient totalement silencieuses, quant à celles des autres pays, outre-Atlantique par exemple, elles poursuivaient leur programme comme si de rien n'était.

Comme si de rien n'était! songea Spori. Un ennemi extra-terrestre envahit un secteur du globe — ce qui est pour le moins un cas exceptionnel! — et la mobilisation générale des forces militaires *et civiles* ne touche apparemment que les nations limitrophes et périphériques du secteur agressé. Comme le prévoit le plan d'Union et du Pacte inter-Armées de l'U.F.A.M., en cas de rébellion, contre la Paix, des forces armées *d'un pays* de la Confédération Planétaire... comme le prévoit la Dissuasion garantissant la Paix. Sans plus.

Simplement, pensa Spori Dunove, avec une grimace. *Comme si* l'Armée de France-Europe s'était rebellée et menaçait le monde *entier.*

Impossible. Il n'y croyait pas, ne pouvait y croire. Tous les efforts de l'U.F.A.M. (Union des Forces Armées Mondiales) depuis plus d'un demi-siècle de paix sur Terre veillaient à rendre impossible une telle folie. L'armée contrôlait le monde, en cette ère de la Dissuasion, et garantissait la paix nécessaire aux libres échanges, et au commerce florissant d'un système économique capitaliste global, entre tous les pays, fussent-ils politiquement et idéologiquement libéraux, socialistes, communistes, ou n'importe quoi.

L'U.F.A.M. et ses services de Renseignements ultra-parfectionnés, ultra-sophistiqués, surveillaient non seulement les groupes gouvernementaux civils, mais surtout les services de recherche militaire de toutes les puissances de la Confédération. Qu'un des services de la recherche appartenant à l'un ou l'autre de ces pays découvre l'ARME totale et songe à l'utiliser à son seul profit était absolument inconcevable. Toute découverte, dans quelque secteur de la recherche que ce soit, susceptible d'être utilisée par l'armée était immédiatement communiquée à tous, obéissant à la loi première de la Dissuasion.

Conflit extra-terrestre... Manœuvre de mobilisation générale...

Mais pourquoi se limiter aux secteurs frontaliers du supposé champ de guerre? Pourquoi l'armée franc-européenne était-elle apparemment volatilisée?

Et puis, surtout, et c'était sur ce point que s'enlisait malgré lui la raison de Spori Dunove, s'agissait-il d'une *manœuvre,* d'un exercice simulé, ou de la *réalité*?

Une guerre extra-terrestre.

Naturellement, cela pouvait avoir plusieurs significations... Et cela faisait partie de l'enseignement reçu par tout soldat. Cela pouvait vouloir dire, par exemple : affrontement avec un ennemi dont on ignore tout sur le plan de l'armement. Un cas théorique, qui supposait alors une sérieuse défaite des renseignements de l'U.F.A.M., incapables d'avoir repéré les préparatifs concernant cet armement. L'U.F.A.M. étant réputé infaillible, mieux valait, c'était sûr, invoquer une invasion extra-terrestre pour le moral des civils... sinon, c'était tout le système de la Dissuasion et le prestige de l'Armée qui s'effondraient.

Manœuvre ou réalité ? Défaillance du système occultée, ou réelle invasion *extraterrestre* ? Au sein de l'Armée, cette éventualité n'était pas exclue. Comme si les dossiers « Top-Secret » de l'exploration spatiale entassés dans les chambres fortes de la Sécurité de l'U.F.A.M. pouvaient contenir de très sérieuses informations... Et même... s'il ne s'agissait que d'une manœuvre de simulation, c'était plutôt mauvais signe. Signe que la réalité de la situation était envisagée, concevable, possible, à plus ou moins brève échéance.

Spori Dunove aurait donné beaucoup (la moitié de sa solde, sans rire !) pour *savoir*.

Toujours assis sur le lit, il soupira bruyamment. Sa montre-chrono indiquait 22 h 30.

Il se sentait fatigué, mais savait bien que la nuit serait longue et qu'il n'aurait certainement pas le loisir de dormir plus de quelques heures. S'il parvenait à dormir. Il tapota la poche poitrine de sa chemise de toile verte, s'assurant que son magnéto-pocket s'y trouvait. Plus tard... il dicterait son rapport plus tard. Ses collègues qui s'occupaient de la ville même et des agglomérations environnantes de la vallée étaient plus avantagés. On avait confié à Spori le secteur des villages de montagnes. Sûr que Ramon Oliveiro avait déjà dicté son rapport, lui...

Spori se leva, marcha jusqu'à la fenêtre. Il regarda un moment au-dehors. Les toits des abattoirs en dents de scie s'enfonçaient dans la nuit, plongeant vers une bande sombre qui tranchait, comme une frontière naturelle, une sorte de gouffre, sur les lumières lointaines de la ville. Quatre étages plus bas, la rue grouillait.

De son poste d'observation, Spori apercevait quelques camions rangés sous les auvents de la façade des abattoirs. Il résista à l'envie d'ouvrir la fenêtre, pour aérer un peu cette minable chambre d'hôtel : l'air de dehors n'était pas plus frais et, de plus, il ne tenait pas à ce que le brouhaha envahisse lourdement sa chambre.

Un hôtel minable, probablement une boîte à putes, c'était tout ce qu'il avait trouvé à réquisitionner dans le quartier. Ce veinard de Ramon Oliveiro se prélassait probablement à l'heure actuelle dans un palace du centre de la ville... Lui, Spori, il avait fallu qu'il tombe sur le quartier des abattoirs et que sa mission consiste à mobiliser les hommes valides des montagnes... C'était plus difficile à superviser que le recrutement urbain, naturellement, et, après tout, si on lui avait confié cette tâche c'était parce qu'on l'en estimait capable.

Une preuve de confiance. Il aurait simplement préféré, pour l'heure, que cette « preuve de confiance » s'agrémente d'une chambre d'hôtel moins puante (comme si tous ses occupants, depuis des siècles, y avaient cuisiné des beignets de morue !), avec un dispositif de conditionnement d'air en état de fonctionnement...

Il quitta la fenêtre et s'approcha de la table basse au centre de la pièce. Il tendait la main vers le téléphone lorsqu'un coup sec fut frappé à la porte. Le battant s'ouvrit et le

planton-jefe de première classe Antonio
Marga, rouge, rond, suant, frisé, entra. Il
referma la porte derrière lui d'un coup de
hanche.

— Qu'est-ce que c'est que ce bled? dit
Marga, l'œil rond et la moustache accablée.
Comment pouvez-vous rester dans cette
chambre?

— Le problème n'est pas de savoir comment *je peux* rester là, dit Spori. Le problème est que *je dois* rester ici, à côté de ce
téléphone. J'allais t'appeler. Qu'est-ce que
tu as contre ce bled?

— J'y respire mal. Vous voulez que j'ouvre votre fenêtre?

Il marchait déjà vers la croisée, bedon-
nant, comme une grosse chose spongieuse
enfermée dans les plis de son uniforme. De
larges taches de sueur marquaient ses aisselles et le dos de sa chemise.

— Laisse, dit Spori. Les odeurs qui flot-
tent au-dessus des abattoirs ne me disent
rien qui vaille... Si tu as soif, sers-toi: j'ai eu
droit à du Champagne.

Le planton-jefe de première classe Antonio Marga poussa un petit sifflement.

— Cadeau de la direction?

— Cadeau de la direction. Il est dégueulasse, mais frais et liquide. De toute façon, je n'aime pas le Champagne.

Marga s'était servi un verre. En trois gorgées, il avala le breuvage. Des gouttes brillaient dans sa moustache.

— Tu peux sécher la bouteille si ça te dit, proposa Spori.

— Vous voulez que je vous demande autre chose ? De la bière ? Du vin ? (Spori eut un geste fatigué et négatif de la main, une grimace dégoûtée.) Vous n'avez pas faim ?

— Ni faim, ni soif, dit Spori. Où en est notre affaire ?

Marga reposa son second verre de Champagne sur le plateau. Il lança un coup d'œil songeur à son serjefe, puis :

— Les villages les plus proches ont été ratissés. Ce qui nous donne un effectif de plusieurs centaines d'hommes, soit de quoi remplir une quarantaine de camions sur cinquante. Nos équipes de recrutement secondées par la police civile encadrent les mobilisés. Ils sont rassemblés dans les abattoirs, c'est assez sinistre.

— Sinistre ?

Marga haussa une épaule.

— Un autre endroit, comme point de rassemblement pour le départ à la guerre,

aurait été mieux adapté au moral... il me
semble. Les gars des villages environnants
sont plutôt du genre « bouseux ».

— Que disent-ils ?

— Rien. Ils n'ont pas la parole facile. Les
plus bavards sont ceux des périphéries. Mais
ceux de la montagne... quand ils parlent, ils
posent des questions.

— Quel genre de questions ?

— Vous devinez. Qu'est-ce que tout cela
signifie ? Y a-t-il la guerre réellement de
l'autre côté de la montagne ? A quoi ressemblent les extra-terrestres ?

— Ils admettent cette version ?

— Il y en a une autre ? demanda Marga.
Ses lourdes paupières étaient tombées
comme un double rideau et fermaient à
demi son regard scrutateur posé sur Spori
Dunove. Lequel eut un sourire amusé, se
laissa tomber dans le fauteuil. Coudes aux
genoux, penché en avant, il examina un
instant la carte étalée sur la table. Puis il
releva les yeux.

— Evidemment non, dit-il. Pas d'autre
version, à ma connaissance, en tout cas.
J'étais curieux de connaître la réaction de
ces civils, c'est tout.

— Vous savez... ça fait pas mal de temps
qu'une pareille éventualité flotte dans l'air.

On en parlait suffisamment de cette possibilité de guerre extra-planétaire.

— Ce n'est pas une guerre extra-planétaire : apparemment, elle se déroule sur
terre. Ce serait un conflit avec des forces
inconnues, l'ennemi étant supposé extra-
terrestre.

— Vous n'en êtes pas certain ? interrogea
Marga, paupières de nouveau plissées.

Bien sûr, ils se posaient tous les mêmes
questions, non seulement les gradés, les
jefes, mais tous les hommes de troupe. Et
Spori n'était pas censé répondre, ni faire
part à qui que ce soit de ses doutes ou de ses
propres incertitudes. Il dit, cependant :

— Un soldat ne doit être sûr que d'une
chose : c'est qu'il œuvre pour son pays, sa
patrie, pour la Paix, en obéissant aveuglément aux ordres... même s'il ne comprend
pas ces ordres.

Marga, d'une fesse, s'appuya contre le
bord de la table de chevet.

— Et vous ne comprenez pas, serjefe,
c'est ça ?

— J'avoue que pour l'instant, si on me
demandait d'expliquer cette mobilisation...
Nous comprendrons en temps voulu.

— D'accord, dit Marga. (Il loucha du
côté de la bouteille, se décida et la secoua un

peu dans le seau de glaçons fondants avant de se remplir un verre.) Mais c'est quand même ennuyeux.

— Qu'est-ce qui est ennuyeux ?

— L'incertitude. Moi, ça m'énerve. Ça énerve tout le monde. Ça fait raconter les pires conneries, et pas seulement parmi les civils ; même les gars de la troupe s'y mettent. On dit que les camarades de l'Armée franc-européenne lancent des appels au secours sans discontinuer... mais qu'ils sont de moins en moins nombreux.

— Première nouvelle, dit Spori. L'armée franc-européenne serait plutôt muette, à ma connaissance. Volatilisée.

Marga hocha la tête.

— C'est ce qu'on raconte, jefe. Bien sûr, les gars n'ont pas vérifié... Ils disent simplement que l'armée franc-européenne serait en train de ramasser une fameuse branlée. Si c'était le cas... à votre avis, serjefe, d'où ça viendrait ? C'est pas de Terre, n'est-ce pas ? C'est pas une connerie de l'U.F.A.M., pas vrai ? Ça viendrait vraiment de... d'ailleurs ?

Spori ouvrit ses mains, les referma. Il regarda ses paumes, puis le dessus de ses doigts couverts de poils roussâtres.

— On verra ça demain, probablement,

dit-il. Une telle opération d'envergure a ses raisons, sois-en certain. En fait, ce qui me tracasse surtout, c'est qu'on fasse appel aux hommes valides civils. L'Armée existe, et elle est là pour ce genre de travail, non ? Si ses effectifs ne suffisent plus... c'est que vraiment l'ennemi est de taille ! Hors du commun. Inimaginable. Et dans ce cas, je me demande comment nous pourrons former en si peu de temps une armée de civils... comment nous pourrons les transformer efficacement en guerriers.

« Je me demande pourquoi on a besoin en haut lieu d'une semblable mobilisation de civils. Bon Dieu, demain, nous filons sur l'aéroport de Gerona, et on s'envole par-dessus les montagnes, droit sur la bagarre. Comment va-t-on faire, je te le demande, pour instruire nos recrues ? Et quand, où, je te le demande encore ? »

Il soupira profondément. Son crâne luisait. A deux mains, il lissa ses rares cheveux courts. Il demanda :

— Où en est le recrutement dans les villages de montagne ?

— En cours, dit Marga. Les premiers arriveront bientôt, je pense. On va avoir droit à de jolis spécimens, c'est sûr... Et pas des faciles. Certains de ces gaillards-là n'ont même pas l'électricité dans leurs villages, et c'est tout juste s'ils connaissent le nom de leur pays... Ça va être beau, quand on leur mettra un flingue-laser dans les mains. Quand on leur parlera d'ennemis extra-terrestres... Pour eux, la Terre est peut-être plate, ou ça se borne à un coin de montagne.

— Je sais, dit Spori.

— Est-ce que la mobilisation touche les grandes villes ?

Spori ne répondit pas, pour la simple raison qu'il n'en savait rien.

— On aurait pu recruter des civilisés, au moins, plutôt que ces demi-sauvages, ou ces citadins de petites agglomérations absolument pas concernés.

— Tu te mets à réfléchir un peu trop, Marga, dit doucement Spori.

Marga rejeta la tête en arrière et soupira longuement. Il regarda de nouveau son serjefe, grimaçant un sourire fataliste.

— Je ne suis pas certain que les recrues des hauts villages soient ici avant demain dans la matinée, dit-il.

— Tant pis. On ne les attendra pas. Le départ est à six heures. Il y a quatre cents kilomètres jusqu'à l'aéroport de départ.

— D'accord, dit Marga. Je peux vous monter de quoi manger, si vous voulez.

— Non, pas pour le moment.

— Il y a des putes, en bas, dans le hall. Si vous voulez...

L'œil de Spori s'alluma brièvement. Il fit mine de s'intéresser une fois de plus à la carte, pendant quelques secondes.

— Quel genre ? demanda-t-il, sans lever les yeux. Ce qu'on peut imaginer dans un quartier d'abattoirs ?

— Il y a de ça, dit Marga. Mais il y a aussi autre chose. Un genre très potable.

Spori replia la carte. Il se leva. Les taches de sueur grandissaient et débordaient largement sous ses aisselles. Antonio Marga, lui, dégoulinait littéralement.

— Pas normal, cette chaleur, bon Dieu, gronda Spori Dunove. Est-ce que ces filles puent ?

— Le patchouli, oui.

Spori alla de nouveau à la fenêtre et regarda au-dehors. Il se trouvait à deux pas de son planton qui, lui, ne sentait pas le patchouli mais dégageait une prenante odeur de transpiration acide.

C'était toujours la même agitation, dans la rue étroite. Des soldats étaient assis, armés, sur les capots des camions, et ils conversaient avec des civils. Des groupes de recrutés, reconnaissables à leurs maigres bagages, valises, sacs de voyage, ou plus simplement ballots de toile, piétinaient devant les véhicules, encadrés par des soldats.

— Hé, dit Spori. Ils ne vont pas emporter des malles, hein? Deux kilos de bagages, pas davantage. Va transmettre ça.

— Ils vont gueuler...

— Qu'ils gueulent, qu'est-ce que ça fiche? Ils croient qu'ils vont en vacances? Deux kilos, maximum. Ils n'ont pas à s'en faire : on va les nourrir, les vêtir... pas besoin d'une valise pour trimbaler une brosse à dents.

— J'y vais, dit Antonio Marga.

Il ouvrit la porte et Spori le rappela.

— Antonio !

— Serjefe ?

— Trouve-m'en une agréable. Avec un gros cul.

— D'accord, serjefe.

La porte claqua, refermée sur le sourire en V de Marga.

Tout à coup, Spori se demanda s'il aurait encore l'occasion, dans l'avenir, de s'offrir une fille. Avec ou sans grosses fesses, comme il les préférait.

Et tous ces types, dehors, avec leurs valises...

— Bon Dieu, murmura Spori, soudainement accablé. Qu'est-ce qu'on va bien pouvoir faire de tous ces péquenots ?

Question sans réponse.

Ou plus exactement la seule réponse était : les faire monter dans des camions, les emmener à l'aéroport de Gerona, s'envoler avec eux au-dessus des montagnes.

Le moral de Spori Dunove amorçait la chute libre. Ce n'était pas fréquent.

CHAPITRE IV

Calata Pueblo avait été construit en rond et couvrait bonnement la surface du plateau engoncé dans les arbres, à flanc de montagne. Le village était composé d'une trentaine de maisons aux murs épais de grosses pierres grises, aux portes surélevées et aux petites fenêtres, aux toits pentus d'ardoises, de laves ou de bois.

Au centre, il y avait la plaza, la fontaine publique et la chapelle, une des premières constructions de Calata. Une « rue » principale, et unique, large de cinq ou six mètres, traversait le hameau de part en part. Pour le reste, les passages rayonnant entre les maisons n'excédaient pas une largeur de deux mètres.

Léridan choisit machinalement de se faufiler dans une de ces ruelles, afin d'approcher précautionneusement la plaza.

Son cœur battait haut dans sa poitrine, et jusque dans sa gorge ; le sang cognait contre ses tempes tandis qu'un mauvais bourdonnement lui emplissait les oreilles. Une sensation très désagréable. De plus, ce malaise qui avait gonflé d'un seul coup palpitait toujours au creux de son estomac, la nausée était prête à le submerger. C'était la peur, il le savait, l'angoisse crue.

La situation était tout à fait extraordinaire, et correspondait diaboliquement à ce que Juan-Majin et Mueppe lui avaient raconté. Selon toute évidence, ils n'avaient pas menti, ils n'étaient pas montés jusqu'à lui pour lui faire une farce. Dans cette réalité brutale prenait naissance l'affolement de Léridan.

Il ne savait que faire, sinon s'approcher le plus près possible de la plaza illuminée, pour épier et comprendre. Au fond de lui, il se disait qu'il aurait dû prendre ses jambes à son cou et fuir dans la montagne, mais il ne pouvait pas. Au contraire, il s'approchait du cœur du piège.

Les maisons étaient désertes. C'était sûr, la totalité des habitants se trouvaient sur la plaza, portant les torches et les lampes. Le plus impressionnant était encore ce silence, ce silence opaque, comme une coupole

invisible tombée sur le village. Ce silence et
ces lumières tremblantes, dans la nuit de
printemps, qui projetaient sur la façade de
la chapelle de longues ombres dansantes.
De loin en loin, au cœur de cette absence,
s'élevaient des voix d'hommes. Ils ne
criaient pas, mais parlaient fort, simplement, et Léridan était encore trop éloigné
pour comprendre ce qu'ils disaient.

Il se faufila entre les maisons, se retrouva
comme par hasard derrière la forge de
Riccès. Ce n'était pas la peine, il le savait,
de frapper à la porte de derrière, ou aux
carreaux : la maison était déserte, comme
toutes les autres. Les lueurs de la plaza toute
proche illuminaient le passage entre la forge
et la boutique-atelier de Ramiro Huerte le
sabotier. Léridan fit un pas dans cette direction... et se figea.

Dans le passage étroit se dressaient deux
silhouettes noires, grandes et fortes, porteu-
ses de fusils.

— Hé ! là-bas ! appela une des silhouettes.

La peur creva, soûlant Léridan d'un seul
coup, et cela fit comme un bruit sec dans sa
tête. Sans réfléchir, il tourna les talons,
s'élança. De très loin, au fond d'un épais
brouillard crissant, il entendit monter les

voix qui l'interpellaient, il entendit les jurons, et aussi le bruit amplifié de lourdes semelles broyant le gravier.

— Arrête-toi, l'ami !

Les silhouettes parlaient sa langue et lui ordonnaient de s'arrêter. Il hésita une fraction de seconde, ne sachant s'il avait intérêt à bifurquer à l'abri de la forge ou à continuer tout droit, sur une cinquantaine de mètres, avant de plonger sous le couvert des halliers. Il y eut un trait de feu rouge qui passa près de sa hanche, à cinquante centimètres, pour aller toucher l'angle de l'appentis de Riccès... Et Léridan vit la flamme exploser, au point d'impact, avec un petit « vrouf ! » à peine audible, et il vit que la poutre de chêne qui supportait le toit de l'appentis était mangée sur la bonne moitié de son épaisseur. Elle fumait. L'odeur du bois carbonisé emplit les narines de Léridan.

Il voulut reprendre sa course, mais ses jambes refusèrent de lui obéir. Ce n'était plus de la peur nue, mais autre chose : une véritable paralysie. Les deux silhouettes approchaient, derrière lui ; elles couraient. Léridan ne pouvait même pas tourner la tête : il était fasciné par le trou noir dans la poutre. Que signifiait ce trait rouge magique qui avait mangé une portion de bois dur aussi facilement que des dents mordent une pomme ?

— Et alors, l'ami ?

La voix rapeuse, sourde, comme voilée, retentit aux oreilles de Léridan. En même temps, une main se posait sur son épaule. Ce contact agit à la manière d'un signal, cassant net la paralysie stupéfaite qui avait transformé Léridan en statue. La bourrasque de peur vive qui bouillonnait en lui l'emporta.

Il cogna sans calcul, mais de toutes ses forces, pivotant sur ses talons, les deux mains réunies en un seul pilon. Le coup atteignit l'homme au niveau du thorax ; il cria, plié en deux, lâchant son fusil. Il n'avait pas de tête, mais une sorte de gros œil rond, mi-transparent, mi-métallique... quelque chose d'horrible. Léridan cria lui aussi, d'épouvante et de douleur à la fois.

Dans la clarté bleuâtre de la lune, il vit bondir une seconde trop tard la deuxième silhouette, son fusil levé haut, tenu à deux mains. Il tenta d'éviter le choc en s'effaçant, mais une fois de plus ses réflexes étaient atteints par l'hébétude : la crosse métallique de l'arme bizarre le toucha en pleine poitrine.

Il entendit crier de rage l'homme qui

l'avait frappé. En un éclair, il comprit que l'individu avait bien une tête, mais qu'il était coiffé d'un casque métallique à visière intégrale semi-opaque : à travers l'écran bombé, il aperçut les traits rageurs du visage grimaçant. Le choc lui fit perdre l'équilibre, il trébucha, tomba au sol. Seulement, il ressentit la douleur.

Ce n'étaient pas des êtres d'un autre monde, mais des hommes, comme lui : la panique qui noyait Léridan s'effondra sur elle-même. Des hommes, des soldats ? Avec des armes qui crachaient non pas des balles mais du feu, en silence...

Il roula sur lui-même, sans succès : le brodequin ferré le toucha à la hanche. Il hurla, fermant les yeux, le nez dans la terre. Un autre coup l'atteignit au sommet des reins et lui scia le souffle ; son visage racla le sol.

Léridan se recroquevilla sur lui-même, attendant les autres coups, brûlant de douleur, le dos comme une plaie de feu. Des éclatements sourds lui traversaient le crâne.

Il gémit :

— Arrêtez ! Ne me tuez pas ! Arrêtez !

— Saloperie ! lança une voix, au-dessus de lui.

Une autre voix :

— Laisse, Renato ! Laisse-le…

On l'empoigna par le col de son gilet, on le retourna violemment sur le dos. Il retomba lourdement et sa nuque cogna le sol avec un bruit mat. Des étincelles passèrent devant ses yeux ; lorsqu'elles se dispersèrent, il distingua les deux énormes silhouettes, dressées au-dessus de lui, sur fond de ciel piqué d'étoiles. La pâle luminescence lunaire léchait les fusils, les casques à visières baissées, les boutons des uniformes.

— Qu'est-ce que vous voulez ? interrogea Léridan.

— Bon Dieu, fit un des soldats, tu crois peut-être que tu vas t'en tirer, après ça ? Tu t'imaginais de taille à nous posséder ? Lève-toi !

Léridan voulut obéir, mais le cercle douloureux qui partait de son dos pour se refermer sur son ventre se resserra. Il retomba sur ses coudes. Un des soldats se baissa, l'empoigna par le devant de sa chemise et l'aida (un peu rudement) à se mettre sur pied. Léridan dut s'appuyer sur l'épaule du soldat, il s'accrocha à lui pour ne pas retomber. Ses jambes tremblaient affreusement et une nouvelle vague de peur déferlait en lui derrière les tiraillements douloureux.

Il perçut la respiration du soldat, amplifiée et rendue sourde par la visière du casque.

— Hé ! dit l'homme. Tu ne vas pas nous faire croire qu'une petite correction pour rire t'a mis dans cet état, non ? Qu'est-ce que tu cherchais ? Tu voulais nous filer entre les pattes ?

Léridan lâcha l'épaule du soldat. Il se tenait debout, bien que ses jambes fussent toujours cotonneuses. Son nez et sa joue le brûlaient. C'était presque plus pénible que la lourde douleur brute qui lui ceignait le torse.

— Il y en a combien d'autres, comme toi, qui se planquent ? demanda le soldat.

— Je ne... je ne sais pas, dit Léridan.

Il avait un goût de sang dans sa bouche.

— Tu parles ! gloussa le soldat.

L'autre dit, passant la bretelle de son fusil à l'épaule :

— Laisse tomber, Renato. On s'en fiche. Il faut qu'on parte...

— Je ne comprends pas, dit Léridan. J'ai des chèvres qui...

— Marche, dit Renato, le poussant vers la ruelle entre la forge et l'atelier du sabotier. Tu comprendras plus tard.

— Qu'est-ce que vous faites ? Où est-ce que vous m'emmenez ?

Le soldat qui marchait à sa droite, une main gantée refermée sur son bras, dit :

— Mobilisation obligatoire. Manœuvres exceptionnelles. C'est la guerre en France-Europe, et on a besoin de tout le monde.

Léridan voulut s'arrêter, mais les soldats le poussèrent en avant. A chaque pas, la douleur résonnait dans son thorax.

— Vous n'avez pas le droit, murmura-t-il, sachant que c'était idiot, sachant, d'un seul coup, que tout ce qu'il pourrait dire n'avait plus la moindre importance... plus *aucune importance.*

— Ne t'occupe pas de ça, dit le soldat qui s'appelait Renato. Ne te creuse pas la tête pour savoir si on a le droit ou pas de faire ce qu'on fait. On a reçu l'ordre de recruter, on recrute. Tu crois peut-être que l'ennemi a le droit d'envahir le territoire de France-Europe ?

— Quel ennemi ? demanda Léridan, en grimaçant.

— Tu verras.

Ils étaient maintenant en pleine lumière, et traversèrent la foule rassemblée sur la plaza. Il y eut des murmures. Dans la lueur des torches brandies, Léridan croisa des regards connus. Il chercha le visage de

Magda, et en même temps il craignait de l'apercevoir.

Au centre de la place, près de la fontaine, il y avait un camion bâché. Une dizaine d'hommes attendaient, rassemblés à l'arrière du véhicule, certains tenant de petites valises entre leurs pieds. Des hommes du village, entre vingt et trente ans. Il y avait là Bastiano Ramuz, Angelo et Juan Videlo, Marcello Donva, Ange Corrizan ; il y avait Irrès Basquiez, Ramon Varellano, Luis Jiquiez. Il y avait Mueppe et Juan-Majin.

Ils attendaient, debout, et plusieurs soldats armés allaient et venaient, faisaient les cents pas, tandis qu'un jefe en casquette discutait avec le vieux Martinez, le plus ancien de Calata. Un espace nu de plusieurs mètres séparait ce groupe de la foule en cercle.

On poussa Léridan dans le groupe des recrutés. Les deux soldats qui l'avaient escorté jusque-là demeurèrent dans les environs immédiats. Juan-Majin les aperçut et se précipita vers eux.

— Ecoutez ! dit-il. Prenez-moi à sa place. Lui, ça ne l'intéresse pas de partir : il a le troupeau de chèvres du village sous sa garde. Il faut qu'il s'en occupe, et c'est un bon chevrier. Il serait beaucoup plus utile

ici. Ça ne l'intéresse pas... Regardez dans
quel état vous l'avez mis !

Il désigna Léridan et ce dernier eut l'impression que tout le village, tous les soldats
le regardaient. Léridan ne comprenait pas
ce que voulait dire Juan-Majin. Il regarda
autour de lui. Ramon Varellano, à son côté,
haussa les épaules, appuyé sur ses poings
plantés dans les poches de sa veste. Il dit :

— Juan-Majin veut partir, pour voir l'ennemi de près. Les soldats ne veulent pas de
lui. Ils disent qu'il est trop maigre, pas assez
costaud.

— Il a commencé par nous taper dessus,
dit le soldat Renato, en repoussant doucement Juan-Majin. File, toi. Tu as peut-être
de la chance.

— De la chance ? brailla Juan-Majin, si
fort que son cri emplit toute la nuit. Mais je
veux aller voir là-bas, moi ! C'est ça, ma
chance ! Bon Dieu, camarades... demandez-
leur, ici ! Demandez-leur à tous, si je ne suis
pas fort ! C'est pas parce que je ne suis pas
épais que...

Le jefe en casquette s'approcha. Il prit
Juan-Majin par le bras et l'éloigna de force,
sans même lui dire un mot. C'était un
homme aux jambes courtes et aux épaules
tombantes. Il dit :

— Ça va bien. Montez dans le camion, camarades. Avec un brin de chance, vous serez tous de retour ici dans quelque temps.

Les hommes montèrent dans la caisse bâchée. Léridan se retrouva à côté de Mueppe, les deux derniers à grimper. Puis ce fut le tour des soldats. Une demi-douzaine d'entre eux demeurèrent à terre. Léridan remarqua un deuxième camion stationné près de la chapelle.

Il vivait un rêve, un cauchemar. Il allait se réveiller. Quelque chose se passerait, et la haie silencieuse des habitants de Calata crèverait, le paysage figé se remettrait à vivre... C'était tellement extraordinaire ! Pourquoi acceptaient-ils ? Comment pouvaient-ils admettre sans sourciller que la guerre en France-Europe les concernait ?

Et Juan-Majin était planté près de la fontaine, bras ballants, interminable silhouette dégingandée, filiforme, le visage torturé.

Le camion vibra tandis que s'élevait le grondement du moteur. Le véhicule se mit en mouvement, tourna autour de la fontaine, prit le chemin qui sortait du village et descendait vers la vallée. Les gens étaient toujours rassemblés, immobiles, sur la plaza. Le second camion se mit en marche à son tour, s'interposant entre le premier et la plaza. Les lumières des torches fondirent dans la nuit.

Il ne s'était rien passé. Le camion les emportait vers San Josua, vers la vallée. Les soldats avaient retiré leurs casques et les avaient posés entre leurs pieds ; ils tenaient leurs fusils sur leurs genoux. *Il ne s'était rien passé.* Personne pour se lever et casser le cauchemar. Léridan était dans ce camion, avec une dizaine d'autres. Comme tous, il tressautait, assis sur le banc de flanc. Chaque cahot allumait des aiguilles de douleur dans ses côtes et son dos. Son visage cuisait.

Ils ne disaient rien. Ils étaient assis, sur deux rangées, face à face, serraient leurs valises entre leurs jambes, coudes aux genoux, le dos courbé et le regard noyé, enseveli dans l'ombre. Les soldats n'en disaient pas davantage. Le camion ferraillait, dansait à bonne allure sur le chemin mauvais.

Et puis quelqu'un alluma une cigarette. Et un autre. Un autre encore. Le soldat assis à côté de Léridan, tout contre la ridelle et le bourrelet de la bâche ouverte sur le dernier arceau, tira de sa poche un paquet de cigarettes qu'il présenta sans un mot à son collègue. Lequel se servit, redonna le paquet. Le soldat cogna Léridan du coude et lui offrit un rouleau de tabac.

Quelqu'un (c'était Marcello Donva) demanda :

— Qu'est-ce qu'on fera, en arrivant à San Josua ?

Les phares du second camion balayèrent l'intérieur du premier ; la brève lueur blanche découvrit une succession de visages blêmes, d'ombres très noires glissant sur la voute bâchée.

— De là, dit un soldat assis au fond de la caisse et adossé à la cabine, on embarque pour Gerona.

— Où c'est ? interrogea Juan Videlo.

— Vous ne savez pas où est Gerona ? L'interrogation demeura sans réponse.

— Un aéroport, dit le soldat. J'imagine que vous serez dirigés sur les lieux de la bagarre.

Léridan écrasa sa cigarette sous sa chaussure. Il n'avait pas vu Magda. Etait-elle présente, dans la foule ? Pourquoi n'avait-elle pas essayé de se faire remarquer ?... Et Malimitos qui attendait, là-haut, avec le chien...

Il glissa un coup d'œil du côté de Mueppe, assis à sa gauche. Lui cogna doucement le bras. Au fond du camion, ils étaient tout à coup plusieurs, langues déliées, qui conversaient avec les soldats. Ange Corrizan, de sa voix ronflante, demandait comment et quand on leur apprendrait à se servir de ces fusils qui crachaient du feu silencieux (comment savait-il que les fusils crachaient du feu silencieux ?)...

— Enrique..., souffla Léridan.

Mueppe répondit :

— Il a fait ce qu'il avait dit qu'il ferait.

Léridan laissa couler un peu de temps. Puis :

— Pourquoi est-ce que vous êtes venus me prévenir ?

Une seconde, le regard blanc de Mueppe brilla d'étonnement, dans la pénombre. Puis il se détourna.

— Une idée de Juan-Majin, dit Mueppe à voix basse. Il croyait que ta place était plutôt avec Magda, au village, loin de tout ça. C'était sincère.

Léridan ne répondit pas.

Il était dans ce camion, ce n'était pas un rêve mais la réalité. Il était là et Enrique était resté dans la montagne.

Et Magda.

Chaque seconde qui passait l'éloignait un peu plus du village.

L'emportait.

Il se demanda ce que feraient les soldats si jamais il se dressait d'un coup, sautait par-dessus la ridelle. Il se demanda s'il était capable d'une pareille performance, endolori comme il l'était.

Le soldat qui lui avait offert une cigarette dit :

— Ne vous en faites pas, les gars. Peut-être que tout sera réglé en moins que rien. Peut-être que vous ne monterez même pas dans les avions, à Gerona.

— Est-ce que vous avez vu à quoi ressemblent ces extra-terrestres ? interrogea la voix ronflante de Corrizan.

— Personne ne sait à quoi ressemble l'ennemi, dit le soldat, remontant son fusil qui glissait sur ses genoux.

« C'est toi, l'ennemi ! » songea Léridan. Mais il garda, naturellement, cette réflexion pour lui.

CHAPITRE V

Minuit à London-City.

Au trente-neuvième étage de la grande tour surplombant la Tamise recouverte par la voie express translucide qui faisait l'admiration du monde entier, Jerry Mungan, cinquante-trois ans, généticien travaillant à la Recherche des services armés sous le contrôle de l'U.F.A.M., amateur de livres rares, numismate, collectionneur de papillons d'Afrique et célibataire, referma l'exemplaire des Aventures de Tom Sawyer (avec hommage de l'auteur) qu'il venait d'acquérir à prix d'or, certifié authentique.

Il posa le livre avec précaution sur le guéridon de verre fumé qui se trouvait à côté de son fauteuil. Il saisit une pipe dans la vasque d'onyx, parmi le jeu de six Dunhill poinçonnées de blanc, préalablement bourrées d'un mélange à son nom qu'il faisait venir directement de Malaisie.

Il l'alluma, savoura la légèreté de la composition et rejeta lentement la fumée par les narines qu'il avait larges et aplaties.

Il se leva, déplissa sa robe d'intérieur en soie des Indes Socialistes, rouge à ramages bleus. La pièce était vaste, feutrée, meublée en style Bank of London. Moquettes, métal dépoli, bois des Iles. Les rayonnages de la bibliothèque étaient intégralement garnis de volumes reliés de vieux cuir. Jerry Mungan traversa la pièce en silence, pipe au bec, et s'arrêta devant le complexe radio-TV-Hi Fi-MF-etc. encastré. Il actionna une touche du clavier de nacre.

Les informations de minuit ne lui apprirent rien de plus que ce qu'il savait déjà.

La mobilisation pour cette manœuvre extraordinaire en France-Europe se poursuivait normalement dans les pays frontaliers, et donc en Angleterre-Europe. Les ports, principalement, étaient touchés. Jerry Mungan ignorait si l'opération prendrait de l'ampleur et si les grands centres tels que Londres entreraient dans la danse. Il espérait bien que non.

Le territoire de France-Europe venait

d'être décrété zone morte, les frontières fermées, radios et télévisions d'Etat muettes. A part les bulletins de consignes à observer, diffusés toutes les demi-heures, et destinés aux habitants du territoire concerné.

Opération Ennemi E.T. (E.T. pour Extra-Terrestre). C'était le nom de code donné par le speaker. Le programme se poursuivit normalement par ce qu'il est convenu d'appeler de la musique de nuit. Jerry Mungan éteignit la radio.

Il ne travaillait pas pour rien depuis plus de trente ans à la Recherche des services de l'Armée sans savoir que tout ce qui pouvait toucher de près ou de loin à cette organisation et était divulgué au public était sujet à caution. Dans le cas présent, cependant, il était incapable de se faire une idée précise de la situation *réelle*. Incapable de savoir si ce que la radio annonçait était la réalité ou non. C'était peut-être la réalité, après tout.

De telles manœuvres extraordinaires requérant les services de civils à grande échelle étaient envisagées depuis longtemps par l'U.F.A.M. Tout devait être mis en œuvre pour maintenir la Paix dans le monde... Tout, et même le concours des non-militaires, en cas d'exceptionnel danger. D'autre part, les scénarios d'un conflit entre la Terre et de mystérieuses puissances extra-terrestres étaient régulièrement étudiés et envisagés depuis deux ou trois ans.

Opération Ennemi E.T.

Jerry Mungan aspira nerveusement de petites bouffées de fumée, les rejeta du coin des lèvres. Il retourna à son fauteuil.

* * *

Dix-neuf heures à New New York, E.U. Amérique.

William C. Usher n'était pas encore soûl, mais s'il savait s'y prendre, ça n'allait pas tarder.

Avait-il envie d'être soûl ? Le problème était là.

Parce que voilà : s'il se soûlait, il ne rentrerait pas à la maison, et Lydie s'inquiéterait, deviendrait cinglée, ameuterait tout le building. Elle en était capable. S'il ne se soûlait pas, et donc s'il rentrait, il se ferait engueuler, comme il se faisait engueuler chaque jour, quand il rentrait bredouille du Centre de Chômage. Il entendrait l'éternelle chanson.

— Ça commence à me plaire ! dit William C.

La fille à côté de lui lui jeta un coup d'œil intrigué.

Il l'avait repérée distraitement, quelques instants plus tôt, puis l'avait oubliée, perdu dans ses pensées. Elle était grande, avec des cheveux très noirs et très courts, des boucles d'oreille en pierres vertes. Du jade ? Des pierres vertes. Vingt ans. Vingt-deux. Vingt-trois... Pas plus de vingt-quatre. Elle portait un de ces tee-shirts trop larges, comme elles en avaient toutes en ce moment, et un pantalon de toile rose. Le pantalon était collant pour ce que le tee-shirt baillait. Collant au point qu'on pouvait presque croire qu'elle ne portait rien, et en tout cas pas de slip, sous ce truc.

Qu'est-ce que c'était que cette fille ?

William C. sourit, et la fille lui renvoya le sourire, mais elle se méprenait ; ce n'était pas à elle que William C. avait grimacé son mouvement de lèvres, c'était parce qu'il venait d'imaginer Lydie dans un pareil accoutrement.

En vérité, cela faisait des jours et des jours que William C. ne prenait même plus la peine d'aller rôder de côté du Centre de Chômage. Des jours et des jours qu'il avait de moins en moins envie de retrouver un boulot. Retrouver un boulot, cela signifiait retrouver Lydie, chaque soir à six heures tapant.

Le barman poussa le son de la radio. Il y avait quatre ou cinq clients dans le bar, pas davantage. Tout ce petit monde écouta les informations, pour faire plaisir au barman. C'étaient les informations de toujours. Quand ce fut terminé, le barman, qui s'appelait Joe comme tous les barmen de New New York, baissa le son de la radio. Il s'accouda au percolateur et considéra la salle du bar d'un œil de poisson frit.

— Je vous paie un verre ? demanda William C. à la fille.

La vie continuait. Il n'y avait pas l'ombre d'une chance pour qu'un connard de speaker annonce la fin du monde. Pas l'ombre d'une chance.

— Vous avez l'air fameusement triste, dit la fille.

— Ça, dit William C., c'est pour tromper l'adversaire. En réalité, je me marre, mais j'ai eu un accident et mon toubib m'a recommandé de ne pas éclater de rire avant dix heures du soir.

— Vous pouvez toujours avancer votre montre, dit la fille.

— Si ça vous chante, dit William C. Vous buvez quoi ?

La fille lui désigna son verre. Ça devait être du scotch, avec de l'eau de Seltz.

William C. se demanda s'il pourrait l'emballer. Si elle était du genre à se laisser emballer par un type comme lui. Et si oui, comment cette histoire allait se terminer, où et quand. Il se demanda si elle lui ferait ça gratis, ou si c'était une putain. Il décida que de toute façon il pouvait commencer par se soûler un brin.

Après avoir levé une petite poulette comme ça, s'il revoyait jamais Lydie et si elle s'avisait de gueuler, sans blague, il était capable de la tuer.

*
* *

Vingt et une heures à Brasilia Norte, Brésil-Amérique/Sud.

Dans la ruelle du taudis passe une bicyclette.

Félipe Varga est assis au creux du hamac déchiré. Par la porte ouverte, il regarde la nuit qui s'installe. Cette radio qu'il a fauchée la veille dans les bagages d'un touriste arabe fonctionne à merveille. Il écoute la voix du monde. Et tout va bien dans le monde. Partout.

Il n'y a que dans la tête de Félipe que ça ne va pas.

Demain, il retournera là-bas, du côté des hôtels. Il s'offrira comme guide, par exemple. Ce que voulait Mariana, c'était un magnétophone, pas une radio.

Un jour, Félipe ne tiendra plus. Il baisera Mariana. De force. Tant pis.

Tout va bien dans le monde ? C'est faux. Rien ne va, puisque Félipe Varga ne va pas

*
* *

Deux heures du matin à Tokyo, Territory. Japon/Occ.

Taka Uko-Tagaku, allongé sur le dos, mains croisées sous la nuque, regardait le plafond de la chambre, et les zébrures lumineuses qui s'y dessinaient spasmodiquement, régulièrement. La lumière venait d'une enseigne publicitaire, de l'autre côté de la rue, et s'insinuait à travers les persiennes.

A quatre heures, l'enseigne s'éteindrait. Pas avant.

Même en fermant les paupières, Taka *voyait* les zébrures. Même en se retournant sur le ventre. Même en bouchant les interstices des volets avec du papier. Il n'y avait rien à faire.

Il ferma néanmoins les paupières et il rêva à la maison qu'il allait bientôt construire, au nord de l'archipel, pour sa femme et ses enfants. Il rêva à la voiture qu'il achèterait. Il rêva à la vie qui serait sienne, bientôt.

Tout allait bien, le commerce était prospère.

Dans moins de quatre mois, il quitterait la cité ouvrière. Et la rue. Et l'enseigne lumineuse. C'était sûr, dans les premiers temps, il la verrait encore. Taka Uko-Tagaku sourit.

***

Minuit en Larzac, France-Europe.

La radio a diffusé le communiqué d'information.

Manœuvres exceptionnelles de l'U.F.A.M. Frontières fermées, black-out total sur tout le pays. Il y a des risques, si l'on ne suit pas les consignes à la lettre. Chacun doit rester chez soi. Interdiction de sortir, pour un temps indéfini, mais qui ne doit pas excéder quelques jours.

— Allez vous faire foutre ! bougonne Jean-Charles Duhoques.

Et il accélère.

Comment faire pour rester chez soi, quand on se trouve au volant de sa voiture, à cent kilomètres de sa ville ?

Le communiqué n'a pas oublié ce cas précis. C'est simple : se ranger sur le bas-côté et attendre. Ne pas bouger. Quelques jours est une estimation maximale. Le territoire de France-Europe a été choisi pour être le terrain de manœuvres exceptionnelles, de la plus haute importance. Il n'y a aucun danger si l'on suit les consignes de sécurité. Sinon, de regrettables accidents sont possibles.

Soyez disciplinés, vous aiderez le travail de l'Armée et de l'U.F.A.M.

Jean-Charles Duhoques n'est pas du genre discipliné. Il accélère encore. Il en a marre, de cette route. Il veut rentrer chez lui. Là, d'accord, il obéira aux consignes.

Que manigancent encore ces gros pontes de l'U.F.A.M. ? Ils sont censés construire la Paix mondiale, pas emmerder le pauvre peuple...

CHAPITRE VI

Il était six heures moins dix minutes et le jour n'était pas encore levé. Les grandes portes des abattoirs étaient largement ouvertes et l'intérieur des bâtiments baignait dans une lumière blanche, très crue, diffusée par les tubes fluorescents suspendus au plafond.

Au cours de la nuit, les équipes de bouchers-dépeceurs avaient travaillé comme si de rien n'était. A présent, en plusieurs points des grands halls, des files de véhicules frigorifiques attendaient que les manœuvres terminent le chargement de la viande. Les hommes en tabliers et blouses blanches généreusement souillés de sang allaient et venaient, des entrepôts aux camions.

Ils travaillaient comme chaque jour, chaque matin, échangeant entre eux les habituelles plaisanteries et poursuivant les mêmes conversations. C'est à peine s'ils semblaient avoir remarqué les doubles rangées de camions militaires, sous les auvents ou stationnés le long des rues d'accès du quartier — rues momentanément interdites à la circulation, sauf, précisément, pour les frigorifiques.

En fait, l'activité qui régnait sur les lieux depuis quelque temps était principalement celle des bouchers et convoyeurs. Côté militaire, les va-et-vient s'étaient singulièrement calmés.

La foule qui occupait encore les rues deux heures plus tôt avait été repoussée au-delà d'un périmètre bien défini. Les rares badauds étaient les habitants du quartier.

Les moteurs des camions tournaient. Dans les cabines, les chauffeurs grillaient des cigarettes tout en devisant avec leurs coéquipiers, ou bien ils se taisaient, mains posées sur le volant et regardaient droit devant eux. Ils regardaient passer et repasser les garçons bouchers portant sur leurs épaules d'énormes carcasses de viande rouge... Les civils recrutés avaient pris place sur les bancs, sous les bâches vertes des camions. Ils étaient plutôt silencieux, ou alors ils parlaient trop fort, plaisantaient trop grassement, pour cacher leur inquiétude.

Le départ, en principe, était pour six heures.

Spori Dunove envoya, d'une pichenette, son mégot de cigarillo dans le caniveau qui charriait un filet d'eau grasse et sanguinolente. Il monta dans sa command-jeep, se laissa lourdement tomber sur le siège à côté du chauffeur et referma la portière toilée. D'un coup de poing, il fit sauter les boutons-pression de la vitre de plexi. Le chauffeur, un petit maigre noiraud qui s'appelait Goldorosa, lui lança un coup d'œil interrogateur.

— On va y aller, dit Spori. Dans quelques minutes.

A l'arrière du véhicule bâché de toile caoutchoutée noire se tenaient Antonio Marga et un radio qui ressemblait comme un frère au chauffeur.

— Tout va bien ? s'enquit Marga, sur un ton qui n'était pas spécialement intéressé, d'ailleurs.

— Tout va bien, dit Spori Dunove. Nos quarante-trois camions sont chargés. Environ cinq cents recrutés. Je n'en espérais pas tant. Toutes les équipes disséminées dans la montagne ont fait leur boulot et sont revenues à temps. Sans blague, je n'y croyais pas.

— Et les autres ? demanda Marga.

— Apparemment, ils sont prêts pour le départ, eux aussi.

Spori déboutonna son blouson. Il sortit de sa poche son paquet de cigarillos et se servit, sans en offrir. Il alluma le rouleau de tabac, repoussa sur sa nuque son képi plat de toile verte.

— Tu as les effectifs recrutés par Oliveiro et les autres ? interrogea-t-il.

Antonio Marga acquiesça dans le vide.

— Globalement, dit-il, cela doit faire aux alentours de deux mille. C'est ce qu'ont communiqué Oliveiro, Santez et Maracolta. Je ne sais pas pour les autres secteurs, dans le pays.

— Apparemment, dit Spori, il y a moins d'autres secteurs qu'on le supposait au départ. J'ai reçu l'information dans la nuit du Q.G. de la Manœuvre E.T. On recrute principalement dans certains secteurs de petite urbanité sur la frontière. Ici, en Italie-Europe, Allemagne-Europe, et Pays-Bas. C'est à peu près tout. On dirait que les grands centres et les fortes concentrations démographiques ne sont pas encore touchés.

— Information de l'U.F.A.M. ? demanda Marga.

Cette fois, il semblait intéressé, et le radio aussi, qui avait levé le nez.

— De l'U.F.A.M., naturellement. Nous sommes sous contrôle de l'U.F.A.M. et cette manœuvre est l'initiative de l'U.F.A.M. J'ai reçu l'information du lieute-nante-jefe Gardalian en personne.

— Une manœuvre…, dit Marga.

Spori fit une grimace ronde autour de son cigarillo. Il cligna des paupières, dans la fumée âcre, releva la vitre souple de la portière et l'agrafa pour la maintenir ouverte. Il dit :

— Vous n'en saurez pas davantage, les gars, ne vous creusez pas les méninges. A mon idée, c'est peut-être ça : une manœuvre à grande échelle, et pas réellement une guerre. Mais je dis bien : à mon idée.

— Qu'est-ce qui vous fait croire ça, ser-jefe ? grogna le chauffeur.

Spori lui jeta un coup d'œil en biais puis regarda de nouveau droit devant lui.

— Un exercice de mobilisation, dit-il, comme s'il se parlait à lui-même. Un exer-cice de mobilisation civile, rondement mené. Apparemment, certains convois n'ont même pas pénétré en zone zéro franc-européenne. Les armées franc-européennes bouclent les frontières, au nord, en collaboration avec les forces voisines sous direction de l'U.F.A.M. Un bel exercice interarmées. Je parie que certains convois de recrutés retourneront chez eux avant la fin du jour.

— Et nous ? fit Marga.

— Nous, pour le moment, nous nous rendons à Gerona. Rien de changé.

Marga n'insista point. Le silence s'installa dans la command-jeep.

Spori Dunove se sentait mieux qu'au début de la nuit. Moins nerveux. Son moral, après un vilain vol plané descendant, était remonté en flèche. Il croyait comprendre. En tout cas, s'il se posait toujours des questions sur les motivations cachées de tout ce déploiement, il était sûr qu'il connaîtrait la vérité en temps voulu. L'impression de nager en eau trouble, de se mouvoir dans le flou, comme un pantin balancé au bout de ses ficelles emmêlées, cette très désagréable sensation avait disparu.

Il sourit pour lui-même en songeant à la nuit qui venait de couler. La cendre de son cigarillo tomba sur sa chemise.

Il y avait eu la fille. Elle était montée, un quart d'heure après le départ du planton. Marga avait bien choisi : une jeunesse, à peine plus grande que Spori — et encore ! — avec des talons de dix centimètres ! Peut-être moins de vingt ans, joliment boulotte. Un visage rond, cheveux frisés, un petit double menton, de la fesse et du téton, et pas de quoi glisser une feuille de papier à cigarette entre ses cuisses quand elle joignait les jambes. Ah ah ah ! Elle s'appelait Mira. Ses premières paroles avaient été :

— A quoi ils ressemblent, chéri, les extra-terrestres ?

C'était lancé sur le ton de la plaisanterie, mais cela cachait une réelle préoccupation. Et Spori n'avait certainement pas envie de se lancer dans une discussion sur ce sujet, avec personne, une putain moins que quiconque. Il lui avait demandé de se déshabiller. Elle l'avait fait, en deux secondes, ne gardant que ses chaussures et le ruban de velours rouge autour de son cou.

Et alors, voilà : Spori Dunove était resté de marbre. Ou plutôt de coton. Lamentablement. Pourtant, la fille était tout ce qu'il aimait, grassouillette au possible, à se demander si elle possédait un squelette. De la chair rose qui bougeait partout, qui vibrait, tremblotait. Nom de Dieu ! Et lui, comme un vieux légume cuit. A la seconde, il avait su que c'était fichu. C'était vraiment une question de moral, et il n'y pouvait rien.

Mira n'y pouvait pas davantage. Elle eut beau se frotter, pile et face, se tortiller, l'entraîner, le tripoter, rouler des yeux et des hanches. Il eut beau la palper, la caresser, mettre ses mains dans ses plis.

Alors il dit : « Ça va. C'était pas le moment. Désolé. » Il fallait réellement qu'il eût le moral en l'air pour s'excuser ! De sa poche, il tira un billet, que la fille saisit entre deux doigts, en haussant les épaules. Elle se baissa et ramassa sa robe.

Et crac ! dans le pantalon de Spori. D'un seul coup, ça venait.

Et crac, à la même seconde, le téléphone.

— Attends ! dit Spori, l'air réjoui, une main sur sa braguette et l'autre décrochant le combiné. C'était le lieutenant-jefe Gardalian. En personne. Le calme retomba dans le pantalon de Spori.

La conversation dura un quart d'heure. Lorsqu'il raccrocha, Spori se sentait un autre homme.

Le lieutenant-jefe n'avait parlé que de Manœuvre E.T. Il lui avait appris que le black-out total était institué sur la zone zéro (le territoire de France-Europe), que des consignes de sécurité très strictes étaient diffusées régulièrement sur les ondes pour la population civile du secteur de manœuvre. L'armée nationale de la zone zéro était sous les ordres de l'U.F.A.M., comme les autres.

La mobilisation des civils s'effectuait en bon ordre et avec succès, elle était moins importante qu'il ne l'avait cru... Ce n'était pas une mobilisation générale. En gros les événements étaient contrôlés par l'U.F.A.M. *L'ennemi* avait essuyé d'importantes défaites, en de nombreux points de conflit il avait même été totalement annihilé. L'avantage indiscutable était pour l'U.F.A.M. Certains recrutés n'auraient même pas à pénétrer en zone zéro. Restaient quelques points chauds. Pour Spori, les ordres n'étaient pas changés : convoiement de troupes recrutées vers Gerona.

Cette conversation téléphonique l'avait métamorphosé. Si guerre réelle il y avait, avec de mystérieuses forces ennemies venues d'ailleurs ou de Dieu sait où, l'U.F.A.M. faisait preuve de son invulnérabilité. S'il ne s'agissait que de manœuvres... ou s'il s'agissait d'autre chose encore, cela de toute façon ne tournerait pas à la catastrophe. Le ton optimiste de Gardalian ne mentait pas.

Tous les extra-terrestres n'étaient pas de

taille, contre les forces de dissuasion planétaires de l'U.F.A.M. Le régime militaire supervisant les armées de la Paix avait fait ses preuves depuis un demi-siècle, et chaque jour qui passait affermissait sa puissance. Aujourd'hui plus que jamais, dans le cadre de ce déploiement extra-militaire.

Spori raccrocha et déboutonna son pantalon. Il tronchonna Mira sur le tapis.

Plus tard, il put dormir deux heures, totalement satisfait ; il avait appris que les groupes de recrutement étaient de retour des montagnes après avoir amplement moissonné dans les villages perdus.

Six heures.

Spori jeta son cigarillo par la portière.

Le radio, casque aux oreilles, lui signala le départ des groupes urbains de Ramon Oliveiro, Santez et Miguel-Andrès Maracolta.

— Parfait, dit Spori. On y va, nous aussi.

Il s'installa le plus confortablement possible sur son siège.

*
* *

Jamais Léridan n'avait vu tant de personnes rassemblées au même endroit. Et des hommes, uniquement.

Jamais Léridan n'avait vu d'aéroport. Jusqu'alors, pour lui, les avions se réduisaient à la taille de minuscules jouets traversant le ciel bleu de la montagne... Ou bien, encore, c'était tout simplement un bruit, parfois un *bang* qui apeurait les chèvres, le sillage blanc de condensation que tirait derrière lui un point minuscule, invisible.

Léridan, plus que jamais, vivait les affres d'un cauchemar ahurissant dans les méandres duquel il flottait, brinquebalé, bousculé à la fois mentalement et physiquement.

Le temps passant, c'était comme si le monde réel auquel il était habitué depuis toujours s'éloignait de lui, se dissolvait, se fondait dans cette espèce de brouillard mou qui pesait sur les limites du cauchemar. Au point qu'il n'était plus certain de pouvoir contrôler ses propres réactions, empêtré dans une glu mauvaise qui ne se contentait pas de baver sur les paysages traversés en aveugle mais qui avait trouvé la faille et envahissait progressivement son cerveau.

Combien de fois s'était-il dit qu'il devait absolument trouver l'occasion propice et bondir hors de ce piège avant qu'il ne soit *vraiment* trop tard ? Et il était toujours dans le piège, et c'était probablement *vraiment* trop tard. Peut-être *vraiment* trop tard depuis le début...

Il était soûl, de bruits, de cris, de bouscu-
lades et de foule. Déjà, dans le petit matin,
devant les abattoirs de San Josua... Voilà
l'exemple d'une occasion manquée, sûrement. Il aurait pu profiter du remue-ménage
pour s'éclipser, la chose était faisable, possible. Mais non. Léridan était trop endolori
encore, hébété par l'extraordinaire de la
situation et le manque de sommeil. Il ne
pouvait qu'ouvrir des yeux ronds.

Une fois, Juan-Majin et Mueppe l'avaient
emmené à San Josua. Pour lui faire une
farce, ils l'y avaient abandonné. Ç'avait été
une épreuve abominable pour le malheureux Léridan, qui avait passé une nuit à la
belle étoile, errant dans les rues du quartier
où ses amis l'avaient laissé. Il n'avait pas
cherché à rentrer à Calata par ses propres
moyens, il avait attendu qu'Enrique et les
autres viennent le chercher. Cela lui paraissait inconcevable qu'ils aient pu l'abandon-
ner vraiment.

En même temps, il était terrifié par l'idée
qu'ils auraient pu le faire pour de bon. Ils
étaient revenus... l'avaient retrouvé presque
au même endroit du trottoir sur lequel ils
l'avaient laissé. Il avait essayé de crâner...
mais il savait que ses amis n'étaient pas

dupes. Le souvenir de cette expérience désastreuse l'avait longtemps obsédé.

Maintenant, même ce souvenir-là lui semblait étranger, éloigné dans le temps de plusieurs siècles. La cassure n'en finissait pas de s'élargir, entre l'instant présent et *avant*.

Le plus ahurissant, c'était encore tous ces hommes qui l'entouraient et qui, selon toute évidence, acceptaient. Des dizaines, des centaines de visages battus par la fatigue et l'insomnie, silencieux. Des hommes aux yeux vides qui s'efforçaient de cacher leur angoisse, et qui le faisaient mal, qui se laissaient embarquer dans des camions, convoyer vers un but inconnu. Qui ne disaient rien , ne protestaient pas. Qui trouvaient cela *normal...* Simplement parce qu'on était venu les chercher, pour les envoyer à la guerre.

La guerre, cela signifie : mourir. Tout le reste est mensonges, déguisements, charlatanisme. Mais ils avaient l'air de l'ignorer, ou alors de l'accepter. Pourquoi ? Comment Léridan pouvait-il être le seul, dans ce troupeau, à savoir ?

Et, le sachant, pourquoi ne fuyait-il pas ?

Comment un homme tel que Mueppe, par exemple, pouvait-il sans rechigner se laisser manipuler de la sorte ? Et les autres, tous les autres, qui étaient au moins de la trempe de Mueppe Dalavio ?

Ils avaient piétiné sous les auvents des abattoirs, en regardant les cohortes des ouvriers de boucherie, libres, qui transbordaient des quartiers de viande. Et puis, au signal, ils étaient remontés dans des camions. Léridan comme tous les autres. A cet instant, il avait pensé à ses chèvres, quand l'homme de San Josua venait avec sa bétaillère ferraillante, quand on poussait les animaux sur le plateau du véhicule, quand les ongles cornus glissaient sur les planches imprégnées de fumier. Les chèvres bêlaient. Les hommes ne disaient rien.

Et c'était maintenant le milieu du matin. Ils étaient des milliers rassemblés sur cette piste de béton de l'aéroport, entre les vastes bâtiments d'accueil et d'administration, les hangars et... les avions. Léridan était encore abasourdi ; même en forçant, il n'aurait pu imaginer un avion si *grand*.

Quand les soldats qui les encadraient leur demandèrent de se dévêtir, Léridan était encore sous le choc. Comme tous, il retira ses vêtements, ne gardant que le slip. Il était à demi nu, avec deux mille autres, sous le soleil... Même le soleil ne ressemblait pas au soleil d'avant, au soleil de la montagne.

Il chercha Mueppe des yeux, mais ne le trouva point. Ou alors il fut incapable de l'isoler parmi tous ces torses bruns et poilus. Les soldats leur jetèrent des paquets de vêtements neufs et des chaussures. Des uniformes, pantalons et chemises taillés dans une méchante toile verdâtre, des brodequins cloutés et des casques de métal brun.

Un des soldats, sans autre arme qu'un revolver à la ceinture, coiffé d'un képi plat, leur hurla qu'ils devaient se dépêcher, échanger leurs godasses entre eux, au mieux des pointures.

— Et nos vêtements ? demanda un homme maigre.

— Rassemblez-les. Conservez vos papiers. On vous rendra vos effets au retour.

— On reviendra ? dit l'homme maigre.

Le soldat en képi grimaça, sans répondre.

— Si vous avez un bout de papier, un crayon, inscrivez votre nom et collez ça dans vos frusques.

Léridan avait passé le pantalon, boutonné la chemise ; il avait agi rapidement pour n'être plus là, dans ce troupeau, nu au soleil d'un paysage qui n'était pas le sien. Ses brodequins étaient à sa taille. Il se mit à les lacer. La chemise était un peu étroite aux épaules.

Le soldat en képi se planta devant lui, le considéra d'un œil froid.

— Qu'est-ce que je viens de dire ? Inscris ton nom sur le col de ta chemise civile, fais un ballot.

— Je ne sais pas écrire, dit Léridan. Je fais une croix... et je n'ai pas de crayon.

Le soldat grimaça encore, comme si le soleil lui brûlait les yeux.

— Tes papiers, tu les as ?

— J'ai pas de papiers, dit Léridan.

— Ton nom, et d'où tu viens ?

— Léridan Jorgue. Je suis de Calata Pueblo.

— Qu'est-ce que c'est que ça, Calata Pueblo ?

— Mon... mon village. Sur la montagne. J'ai des chèvres, là-haut, et...

— Ça va, dit le soldat. Je vois. Aussi con que tes chèvres, hein ?

Il ne laissa point à Léridan le soin de répondre, tourna les talons. Un autre soldat s'approcha, qui leur cria de se ranger par quatre, et de marcher vers les avions. Ceux qui n'avaient pas fini de se vêtir furent houspillés et bousculés. Il y eut un grand brouhaha, des éclats de voix. Les soldats poussaient avec leurs crosses, sans vraie brutalité, mais Léridan gémit tout de même lorsqu'une crosse le toucha à la hanche. Après quelques minutes, les colonnes par quatre furent formées, encadrées étroitement par des soldats. Les premiers se mirent en marche.

Ils traversèrent la piste au pas de course, dans un grand bruit de clous raclant le béton. Puis se retrouvèrent sous les carlingues des avions. C'est alors que des cris s'élevèrent, ici et là, et puis d'autres cris, plus loin, venant des bâtiments. Léridan remarqua le groupe important de recrues, qui agitaient les bras et qui étaient restées près des bâtiments. Des soldats en képi braillèrent des ordres. Le soldat qui se trouvait le plus proche de Léridan lança :

— Ça vous sert à rien de gueuler, les gars.

— Mais eux, là-bas! cria un homme. Pourquoi nous et pas eux?

— Parce qu'on est suffisamment, dit le soldat. Ferme ta gueule, mon vieux.

Il y eut un mouvement de foule, un tourbillon. Du cœur des rangées mouvantes jaillirent plusieurs hommes qui s'élancèrent

en courant sur la piste. Ils fuyaient. Léridan
ne réfléchit point. Il bouscula ceux qui se
trouvaient près de lui et s'élança derrière
le groupe des fuyards — une dizaine. Il ne
savait pas où aller, ce qui comptait, c'était
courir, courir, courir. S'échapper. L'occasion était là. Des cris fusaient à ses oreilles,
une fantastique galopade martelait le sol
derrière lui : il ne se retourna point. Il
courait.

Puis il aperçut, sur sa gauche, une volée
de soldats qui amorçaient un mouvement
d'enveloppement. A l'instant même, un
choc lui faucha les jambes. Il s'affala lourdement sur le béton, sa tête heurta le sol. Il
boula comme un lapin et tenta de se redres-
ser, mais un talon ferré percuta avec une
violence inouïe son flanc droit. D'un seul
coup, il plongea dans l'inconscience.

Sa tête creva la surface glacée. Il ouvrit les
yeux, vit le soldat debout devant lui qui
agitait la bouteille de vin. Il se redressa et
grogna. Chaque inspiration lui faisait mal ;
c'était comme si ses côtes étaient faites de
fers rouges. Son visage et ses mains cui-
saient, une lourde migraine battait ses tempes. Il s'aperçut que ses paumes étaient
écorchées, et ses avant-bras aussi, les man-

ches de sa chemise neuve déchirées, son pantalon décousu au niveau des genoux.

Il était assis dans un siège mou. A côté de lui, il reconnut l'homme maigre qui avait apostrophé le soldat, juste avant la fuite. Il portait de nombreuses contusions au visage et lui fit un clin d'œil. Le sol vibrait. Un long moment de réflexion fut nécessaire à Léridan avant qu'il comprenne qu'il se trouvait dans l'avion. Un sifflement sourd lui emplit peu à peu les oreilles. D'un revers de manche, il essuya le vin qui coulait sur son visage. Sa chemise était trempée.

— Je m'appelle Luis, dit l'homme maigre à côté de lui. Cette fois, on est cuits, camarade.

Le soldat qui agitait la bouteille en aspergeant les hommes affalés sur cette première rangée de siège s'approcha du maigre Luis, menaçant. Mais ne dit rien. Devant Léridan, il y avait un mur blanc, qui occupait presque toute la largeur de la carlingue, ne laissant qu'un étroit passage à droite et à gauche. Léridan se haussa sur son siège, jeta un coup d'œil derrière lui. Il vit les hommes assis, sur les sièges de la bande centrale, et dans les rangées de trois, près des hublots. Au-delà des hublots, c'était... le ciel.

Luis avait raison. C'était fini.

Le soldat à la bouteille laissa tomber celle-ci à terre et shoota dedans. Il portait un fusil court à la bretelle, appuya son coude droit sur la culasse de l'arme. Il les regarda posément, les uns après les autres, tous ceux du premier rang. Puis il brailla :

— Salauds ! salauds que vous êtes ! Vous avez voulu vous tirer, hein ? Salauds que vous êtes ! Dégonflés ! Qu'est-ce que vous avez dans vos frocs, bande de sans-couilles ! Vous avez voulu vous tirer, mais vous allez le regretter ! Je suis chargé de m'occuper de vous, lavettes, et je vous le garantis : le premier qui recommence à faire le con, je le descends ! On est en guerre, bordel ! vous n'avez pas compris ça, pouilleux ? On est en guerre, et vous ferez ce qu'on vous dira et vous fermerez vos gueules, si vous voulez avoir une chance de vous en tirer ! Compris ?

Silence.

— Répondez, nom de Dieu ! Compris ?

Il y eut quelques murmures.

— Répondez : compris, serjefe Almeido !

— Compris, serjefe Almeido, grognèrent en chœur les hommes du premier rang, Léridan comme les autres.

Le serjefe Almeido parut satisfait. Il cria :

— Maintenant, écoutez-moi, tous ! Ce n'est pas une balade ! Il y a un casse-pipe, de l'autre côté. Je peux vous dire que le gros de l'affaire est terminé, d'ores et déjà. Les armées sous le haut commandement de l'U.F.A.M. ont fait le gros boulot. Mais il reste des poches de résistance, et l'ennemi s'y accroche. Juste quelques foyers, et c'est pourquoi une bonne partie des recrues a été renvoyée. Ceci est une opération exceptionnelle, pour une guerre exceptionnelle — toute guerre devient exceptionnelle, sous le règne de la Dissuasion — mais celle-ci est carabinée. On va devoir s'occuper d'un de ces foyers, et on le fera !

— C'est vraiment une guerre ? interrogea une voix lointaine, au fond de l'appareil.

— Qu'est-ce que tu crois ? renvoya Almeido. L'ennemi vient d'ailleurs, à ce qu'on nous dit. Là-dessus, j'en sais pas plus que vous. On découvrira ensemble quelle gueule il a.

— Pourquoi nous ? demanda une autre voix, très proche, derrière Léridan. L'U.F.A.M. contrôle la Paix mondiale. L'armée nous protège. Pourquoi avoir recruté des civils ?

— T'es des montagnes, toi ? demanda le serjefe.

— Non. De San Josua.

— Je vais te répondre, dit le serjefe Almeido. L'U.F.A.M. contrôle toutes les armées de tous les pays, et veille à ce qu'aucun Etat ne se prenne des envies idiotes de suprématie. D'accord? De ce côté-là, pas de problème, donc. Reste l'éventualité d'une agression étrangère. Un ennemi hors U.F.A.M. Un ennemi extra-planétaire, dont on ne connaîtrait rien. C'est une menace sérieuse, et on en parle depuis un bout de temps. On avait raison : ça vient de se produire.

« Grâce à la vigilance de l'U.F.A.M., on n'a pas été pris par surprise. Il semble que cette offensive soit de petite envergure, un coup de semonce, en somme. On a réagi massivement. Dans un coup comme celui-là, c'est à tout le monde d'entrer dans la danse. On a mobilisé en masse. L'armée a fait le gros boulot. On continue, cependant, et c'est l'occasion de Manœuvres générales. Si ces salauds ne sont pas dégoûtés, et s'ils remettent ça, il faut qu'ils sachent qu'ils trouveront devant eux non pas uniquement des professionnels, mais toute l'humanité. Voilà. »

Il se tut, laissa courir un regard sévère sur son auditoire. Il n'y eut pas de réactions.

— Maintenant, reprit le serjefe Almeido, on va vous passer un film sur cet écran, là (il désigna le mur blanc, derrière lui). C'est pas un film comique. Ça vous apprendra à vous servir des fusils-laser qu'on vous remettra pour le baroud. Et puis vous allez voir aussi sur qui vous risquez de tomber.

Ils virent.

Ils virent des scènes de batailles réelles, entre adversaires sous influence de drogues décuplant l'agressivité, ou annihilant la douleur.

Ils virent une femme nue, couchée sur une table, souriante. Une main armée d'un scalpel lui ouvrit le ventre, et elle se dressa, toujours souriante, elle dansa devant la table tandis que le flot de ses intestins se répandait entre ses jambes, puis elle s'effondra.

Ils virent des hommes que l'on devait littéralement découper en morceaux pour les maîtriser.

Il s'agissait de cobayes condamnés à mort par la Justice.

Léridan vomit entre ses genoux. Il ne fut pas le seul.

— L'ennemi, dit le serjefe Almeido, avait peut-être des capacités de résistance dix fois

supérieures à celles des sujets présentés
dans le film. Il ajouta :

— D'un autre côté, ne vous attendez pas
à découvrir des monstres verdâtres. C'est
bon pour les journaux de bandes dessinées.
Ils sont humanoïdes, ils vous ressemblent.
On n'a pas fait de prisonniers, mais on a des
photos de cadavres.

*
* *

Assis au fond de l'appareil, Spori Dunove
écoutait cet instructeur grossier, et il n'avait
plus envie de rire. Une fois de plus, il était
tombé de haut. La Manœuvre E.T. camou-
flait bel et bien une guerre. Lui aussi avait
vu les photos.

Et de l'escouade de San Josua, il était le
seul à avoir vu confirmés ses ordres. Il savait
où ils allaient.

Canjuers. France-Europe.

A moins que...

A moins que quoi ? Rien du tout. Ce
n'était pas bon de douter. Après tout, s'ils
avaient voulu camoufler joliment la manœuvre et simuler une véritable guerre, ils
avaient réussi. Il serait toujours temps, plus
tard, de soupirer de soulagement.

Bon Dieu ! songeait amèrement Spori. Le

seul des quatre, c'est moi. Avec cette compagnie de culs-terreux et d'illettrés qui ne songent qu'à une chose : foutre le camp !

Il se disait qu'il n'avait pas de chance.

Et se demandait quelle réponse il aurait donnée, lui, si une recrue lui avait demandé pourquoi l'armée organisait cette mobilisation et persistait à vouloir utiliser des civils. Il se demandait si le serjefe instructeur Almeido était sincère lorsqu'il avait répondu. Probablement. Il n'était pas du genre à se creuser la tête. Un veinard.

CHAPITRE VII

La route filait droit, escaladant, puis
dévalant les rides écrasées du plateau qui se
succédaient les unes aux autres, jusqu'au
bout de la nuit. Une maigre végétation
couvrait la terre blême sous la lune. Le
paysage était constitué de tertres cailouteux
recouverts de broussailles, avec parfois les
flaques éclatées de pineraies sauvages.

Le ruban de la route était bordé par des
genêts touffus, et de temps à autre de grands
arbres aux feuillages tendres à peine éclos
que le double pinceau des phares transfor-
mait, le temps d'une caresse rapide, en
mousse de verre.

La voiture roulait vite. Jean-Charles
Duhoques luttait contre la fatigue qui pesait
dans ses reins, nouait les muscles de ses
jambes et de ses épaules. Il avait achevé sa
tournée de printemps dans le sud du pays et

rentrait chez lui, pour un jour ou deux de repos bien mérité, avant de repartir, dans l'est, cette fois, vanter auprès des commerçants retors les mérites indiscutables des lave-vaisselle Carrière. Il en avait un peu marre, des lave-vaisselle Carrière...

Sa grande joie, dans la vie, c'était la pêche sous-marine. Aucun rapport avec les lave-vaisselle. S'il avait pu trouver une place de représentant pour une firme d'appareils de plongée, alors, là, Jean-Charles Duhoques se serait levé chaque matin avec le sourire et se serait couché pareil, chaque soir.

Mais la vie est mal faite. Dit-on.

La radio de bord, réglée sur le poste national, grésillait. Sans plus. Jean-Charles avait essayé de capter d'autres stations des pays voisins, mais sans succès. Partout le même grésillement, les mêmes sifflements parasitaires. C'était vraiment le black-out, comme ils l'avaient annoncé, sauf qu'à un moment il avait pu attraper un poste suisse, mais très loin, très faible, et d'après ce qu'il avait pu difficilement entendre on n'y parlait pas de cette manœuvre exceptionnelle qui paralysait le pays de France-Europe. Il était revenu sur le poste national.

C'était aberrant. Un bon prétexte pour user la colère de Duhoques, qui n'était jamais de très bonne humeur après une tournée de représentation. « Restez chez vous, enfermez-vous, calfeutrez-vous, enterrez-vous », disaient les consignes de sécurité.

A croire que Dieu sait quel ouragan de gaz mortel (par exemple) allait incessamment balayer le pays. Paralysie générale de rigueur, et ne mettez pas le nez au carreau. Laissez jouer en paix les troupes d'élite de l'U.F.A.M... Vous qui êtes sur les routes, arrêtez-vous. Restez où vous êtes. Des équipes de sécurité vous joindront si nécessaire. Vous qui êtes au travail, cessez toute activité, et demeurez dans vos usines.

Une plaisanterie.

Et pour tous ceux qui n'ont pas entendu ces consignes ? se demanda Jean-Charles Duhoques. Ceux qui n'écoutaient pas la radio ?

Il imagina que le même scénario était valable pour la télé. Ou que peut-être des voitures radio bardées d'amplis sillonnaient les rues des villes. Il avait hâte de se retrouver chez lui afin de constater ce que pouvait donner une ville de huit mille habitants sans un chat à l'air libre. Il se dit, pour la centième fois : « Après tout, j'aurais très bien pu ne pas entendre ce communiqué ;

j'aurais très bien pu ne pas faire fonctionner ma radio... et je ne suis certainement pas le seul, isolé en pleine brousse, à tricher un brin avec la consigne. Sans compter ceux qui ne trichent pas, qui, réellement, ne sont pas au courant... »

— La preuve ! dit Jean-Charles à haute voix en apercevant la lueur dans le ciel, au-dessus de la côte qu'il était en train de gravir.

Un faible miroitement dans les feuillages des arbres, comme le balayage des phares d'une voiture venant en sens inverse.

Il fut au sommet de la côte : aucun véhicule ne venait en face. Ce que vit Jean-Charles provoqua un frisson dans ses épaules. Il freina un peu trop brutalement et la voiture se déporta sur sa droite, frôlant le bas-côté ; il redressa, se retrouva au centre de la route, ralentit. Au milieu de la descente, il s'immobilisa tout à fait.

A moins de cent mètres, devant lui, dans le creux de la dénivellation, un véhicule était immobilisé en travers de la route. Un engin militaire. Une masse noire, luisante sous la lune et dans les ombres métalliques des grands arbres. La chose brûlait.

Ce n'était pas un grand brasier, juste de petites flammes rouges sombre qui s'échappaient spasmodiquement de la tourelle et dégageaient une grosse fumée très noire — l'ombre de cette fumée courait sur la route, comme quand la lune est voilée par un banc de nuages. Cette pauvre source lumineuse n'était pas de taille à embraser le ciel... mais ce qui se passait à droite de la route, parmi les tertres en contrebas, oui. Là-bas, c'était un vrai incendie. Ou, plus exactement, plusieurs incendies.

A travers les branches des arbres de premier plan, Jean-Charles compta six points en flammes, groupés, d'après ce qu'il pouvait en juger, sur une surface qui ne devait pas excéder un ou deux hectares. Les flammes s'élevaient à une distance de trois ou quatre cents mètres de la route. Un ballet d'ombres mouvantes les cernaient, sans que Jean-Charles puisse distinguer s'il s'agissait de voitures, de camions, ou de n'importe quel autre genre de véhicule.

Il contempla longuement le spectacle, bouche ouverte, tandis que les rets de l'angoisse se refermaient progressivement sur lui. Il avait l'impression, tout à coup, d'avoir basculé dans une portion d'univers irréel, complètement décalée hors du temps et de l'espace habituels. A la radio, le grésillement cessa, et retentirent les trois notes de l'indicatif du communiqué. Mot pour mot, c'était ce que Jean-Charles avait déjà entendu plusieurs fois : un message enregistré. D'une main lourde, il tourna le bouton. Le silence emplit la voiture ; le doux ronronnement du moteur au ralenti ne comptait même pas.

— Qu'est-ce que c'est que ce carnaval ? murmura Jean-Charles Duhoques.

Il s'aperçut qu'il était en sueur, et qu'il avait froid. Sa main tremblait, qui sortit un mouchoir de sa poche et essuya son front dégarni. Là-bas, c'était toujours les foyers d'incendies, à travers les brousses, et la danse d'autres véhicules, tous phares éteints.

Jean-Charles Duhoques coupa son moteur. Il ouvrit sa portière et descendit sur la route. Il se sentit véritablement minuscule dans l'immense nuit posée sur ce paysage fou. Bon Dieu, c'était une scène de *guerre* qui se déroulait sous ses yeux. Le plus ahurissant était encore le silence : pas un cri... à peine si l'on entendait le bruit des moteurs en bonne partie masqué par le froufroutement du vent doux dans les arbres. Un nouveau frisson secoua Jean-Charles.

Il se mit en marche, descendant la côte en

direction du véhicule militaire (une sorte de tank à tourelle plate et canon court) en travers de la route. Les semelles de ses chaussures faisaient crisser le gravillon, et il quitta le bas-côté pour marcher au milieu de la route.

Puis il fut à la hauteur du tank et vit qu'au-delà plusieurs arbres avaient été abattus en travers du ruban d'asphalte. De gros arbres. Le passage était irrémédiablement coupé ; il ne fallait pas songer à contourner les obstacles, les bas-côtés de la route étant encombrés de grosses pierres.

— Qu'est-ce que c'est que ce cirque ? répéta l'homme stupéfait, dans un souffle.

Il toucha la chenille du tank, comme pour s'assurer que l'engin était bien réel : non seulement il l'était, mais d'une réalité brûlante, et Jean-Charles retira vivement ses doigts. Les petites flammes rouges et fumeuses couronnaient toujours la tourelle : à l'intérieur, ce devait être un fameux brasier ! Et si l'engin, tout à coup, explosait ? Cette éventualité traversa la conscience de Jean-Charles, mais sans y faire souche. Il fit quelques pas, pour contourner machinalement l'épave... et faillit trébucher sur le corps étendu au sol.

Longtemps, il resta figé, souffle court,

sans pouvoir détacher son attention du cadavre en uniforme allongé sur le dos, bras en croix. L'homme avait cessé de vivre, c'était flagrant. Dans son visage atrocement défiguré par les brûlures il y avait trois taches : celle, noire, de la bouche grande ouverte, et celles, blanches, des globes oculaires aux paupières disparues.

Jean-Charles Duhoques recula lentement, pas à pas, progressivement secoué par une série de hoquets et de sanglots secs tout à fait incontrôlables. Il aurait voulu pouvoir hurler, mais le cri n'en finissait pas de dérailler au fond de sa gorge. Tordu brutalement par la nausée, cassé en deux, il vomit sur l'asphalte plusieurs gerbes liquides qui claquèrent entre ses pieds.

Les larmes aux yeux, l'estomac et les intestins noués, il se redressa, se mit à courir vers sa voiture. Il ouvrit la portière et se laissa tomber à l'intérieur en gémissant, referma vivement la portière comme s'il voulait se protéger comme dans un blockhaus de cette démence qui tournoyait, en silence, au-dehors.

Une manœuvre ? *Mais c'était la guerre !* La guerre ! Et il l'avait vue ! Il y avait des tanks qui brûlaient, il y avait un soldat mort, avec des yeux de porcelaine sale qui fixaient la nuit d'étoiles. La guerre ! Mais c'était *impossible,* la guerre !

Jean-Charles Duhoques était assis sur son siège, tremblant de tout son corps, les bras croisés, pressés sur son ventre, et il ne faisait rien d'autre, il regardait les incendies sur les tertres. Plus tard, il vit la colonne qui serpentait à travers les courtes broussailles, en direction de la route. Il ne bougea pas davantage.

Une dizaine d'hommes approchaient, à pied, mains levées au-desus de leurs têtes. C'étaient encore des soldats, en uniformes déchirés de l'armée franc-européenne... Des soldats de son pays : *ses* soldats ! Derrière eux, roulait un engin bas, une sorte de jeep découverte, avec une arme sur son support érigée sur le plateau arrière. Il y avait trois hommes dans la jeep : un au volant, l'autre à côté, et le troisième braquant l'arme. Ceux-là étaient casqués, la visière de plex rabattue sur leurs yeux, vêtus de combinaisons noires ou, en tout cas, sombres.

Les muscles de Jean-Charles Duhoques s'étaient raidis. Il n'était plus qu'un nœud de nerfs et de fibres pétrifiées sur le siège de la voiture ; il n'était plus qu'un regard.

Il fut aussi un long gémissement, une

douleur au ventre, un regard exorbité, lorsque l'homme noir qui tenait l'arme sur la jeep lança un ordre, lorsque les soldats se figèrent dans le fossé, à quelques mètres du tank qui brûlait. Et l'homme tira. Plusieurs salves, en rafales silencieuses de traits bleuâtres crachés par le canon. Et les soldats s'écroulèrent pêle-mêle, et il y eut quelques cris, et ils s'effondrèrent au sol, les uns sur les autres, hachés par l'invisible feu... Et ils ne bougèrent plus.

La vue de Jean-Charles Duhoques se troubla. A travers un brouillard, il vit la jeep escalader le faible talus, basculer en avant, rouler sur les corps enchevêtrés. La jeep fut sur la route, et elle roula dans sa direction.

— Non..., gémit Jean-Charles Duhoques. Non... Non...

A cinq mètres, la jeep stoppa. Les hommes noirs et casqués ressemblaient à de monstrueux insectes, et ils le regardaient. Celui qui se tenait à côté du chauffeur se retourna vers le tireur, pour lui parler, sûrement. Il fit un geste vague.

Deux incendies sur six, dans les tertres, étaient éteints.

Jean-Charles Duhoques vit la flamme bleue, au bout du canon.

Et rien d'autre.

* * *

Le général Maurice Bond, de l'E.M. de l'armée franc-européenne, jeta un coup d'œil à sa montre-bracelet. Il était deux heures vingt, et la nuit était belle, d'un calme absolu. A la même heure, en Espagne-Europe, des camions chargées de recrues civiles, dont Léridan Jorgue, descendaient des montagnes et des villages perdus, en direction du point de base de ralliement de San Josua ; à la même heure, le serjefe Spori Dunove regardait se déshabiller une putain dans sa chambre puante d'un hôtel réquisitionné dans le quartier des abattoirs.

Le général était un homme d'une soixantaine d'années, de belle corpulence, les épaules larges et le ventre plat. Cheveux blancs taillés court, visage buriné, volontaire, regard d'un vert pénétrant. Une belle image de général.

Il était seul dans sa villa du bord de mer, sur la côte atlantique landaise. Une heure plus tôt, il avait congédié son ordonnance, sans tenir compte des protestations de celui-ci... Protestations de principes, peut-être... Il lui avait laissé entendre que s'il désirait vivre encore un peu, la meilleure façon d'y parvenir était de se faire oublier. Disparaître.

C'était fichu, et le général le savait.

Il ne regrettait rien. C'était inutile. Et cela aussi, il le savait.

Son téléphone était muet, sa ligne directe très certainement sous surveillance. Personne ne l'utiliserait plus. A jamais muet.

Le général Maurice Bond, célibataire, seul, qui avait cru prendre un maximum de précautions en restant chez lui dans sa villa d'été, s'était trompé.

Il attendait. Il savait bien que c'était la seule chose à faire. Il n'était pas une simple ordonnance pour pouvoir s'évanouir dans la nature sans laisser de trace : il était le général Maurice Bond.

Une seule lampe était allumée, derrière le canapé d'angle, dans le grand salon lambrissé de pin blond. Devant la baie vitrée, face à la mer, le général regardait l'océan ourlé d'écume... et le chemin de pierres qui longeait la plage, tournait presque en angle droit et se dirigeait vers son jardin.

Il vit d'abord la lueur des phares éclaboussant la bordure de pins nains. Puis la voiture. Elle s'arrêta très exactement dans le virage du chemin. Phares éteints.

C'était une voiture civile, tout ce qu'il y a

de banalisée. Un instant, rien ne bougea. Sauf les branches des résineux, sous le vent, et les vagues de l'Atlantique.

Le général se dit qu'ils devaient l'apercevoir en silhouette derrière la baie, se découpant sur la clarté dorée qui baignait la pièce. Il ne bougea point.

Puis les portières de la voiture s'ouvrirent, en même temps. Ils étaient quatre. Les deux premiers étaient vêtus d'imperméables clairs, les deux autres en pantalons (clairs également) et pulls. Ils s'approchèrent, au pas de course. Le général ferma les yeux. Il entendit crisser les graviers de l'allée.

La porte fut ouverte. Le général ouvrit les paupières. Un des hommes le regardait, de l'autre côté de la vitre. Il avait un visage long, inexpressif, des cheveux plantés bas, blonds, drus. Le vent faisait voleter une petite mèche au sommet de son crâne, pliait le col de son blouson de daim. L'homme tenait un pistolet dans sa main gauche. Un parabellum 45 mag.

— Général ? fit une voix dans son dos.

Tout de même, il sentit se nouer son ventre, et comme une coulée de glace sur sa nuque. Il se retourna lentement.

Il y en avait deux sur le pas de la porte du salon. Les deux en imperméable. Les pans des vêtements étaient ouverts. Ceux-là étaient armés de P.M. courts munis de silencieux, de cal. 38.

— Messieurs, dit le général.

Il avait longuement réfléchi à ce qu'il pourrait dire, pour le panache, s'ils lui en laissaient le temps.

Les visages des deux types étaient tout aussi inexpressifs que celui de leur camarade, dehors. Au plus, un certain ennui, au fond des yeux... La corvée ne devait pas les enchanter particulièrement.

— Vous désirez prendre un verre ? demanda le général.

L'un des types leva son P.M.

— Vous devriez dire à votre ami de s'écarter de la fenêtre, dit le général. Il court un risque.

— Toi, dit l'homme. Recule au fond de la pièce.

Le général acquiesça. Il obéit. Ses jambes devinrent molles et le parquet tangua.

Contre le mur, il s'arrêta.

— Soyez tranquille, dit le deuxième homme. Vous allez laisser le souvenir d'un héros. Un martyr, peut-être.

— J'en suis ravi, dit le général. Vous ne pouvez guère faire autrement, n'est-ce pas ?

Il s'attendait à ce qu'un des deux prenne

la peine de lui répondre et la rafale de « pop-pop-pop-pop » sourds le surprit. Il tomba comme une masse, après avoir rebondi contre le mur ; il tomba nez en avant, écartelé, le dos ouvert le long d'une ligne très droite qui suivait sa colonne vertébrale, de la ceinture aux omoplates. La même ligne de sang et de bois éclaté s'inscrivait sur le mur de pin blond, à hauteur d'homme.

Les quatre individus regagnèrent leur voiture, laquelle fit un large demi-tour sur l'allée de graviers, et s'en fut.

* *

Le jour se levait.

Le colonel Hubert-Alain Delatour essuya quelques traces de savon, sur son cou et sous son menton ; il humidifia une serviette qu'il passa sur son visage aux traits lourds, fatigués. Il contempla son reflet dans la glace de la salle de bains, au-dessus du lavabo. Sans sa barbiche, le colonel n'était plus le colonel.

Cela faisait plus de quarante ans qu'il ne s'était pas rasé le menton et sous le nez. Il s'était coupé. La peau fraîchement rasée avait une teinte grise qui tranchait sur le teint bronzé du visage. Il aurait fallu du fond de teint, un maquillage quelconque, mais Delatour estima qu'il avait déjà perdu trop de temps. Il quitta la salle de bains.

Hélène était toujours assise dans le fauteuil, au pied du lit. Elle était menue et fripée, vieillie de dix années supplémentaires en l'espace d'une nuit. Grâce au ciel, elle était parvenue jusqu'à présent à retenir ses larmes. Rien n'irritait plus Delatour que les effusions débordantes et les bâtons dans les roues. Hélène le regarda revêtir des effets civils. Elle ne parlait pas.

— Bon, dit Delatour.

Et il se planta devant sa femme.

— Tu ne veux rien me dire ? demanda-t-elle.

Son menton tremblait.

— Certainement pas, dit Delatour. Moins tu en sauras... Ecoute, le plus tôt possible, quitte cette maison, essaie de...

Il s'interrompit. A quoi bon ? C'était affreux, mais il savait que de toute façon Hélène ne bougerait pas. Dix ans plus tôt, il n'avait pas voulu la quitter, estimant que la séparation la tuerait. Il lui aurait alors sauvé la vie, tout simplement.

— Tu t'es coupé au menton, remarqua-t-elle.

— Je m'en vais, dit Delatour.

Il se pencha et l'embrassa au sommet du front.

— Hubert !

— Je te contacterai ! cria-t-il de l'anti-chambre.

Il claqua la porte derrière lui, avec la sensation d'être déjà tiré du traquenard à moitié...

L'ascenseur l'emporta jusqu'au sous-sol. Le garage était plongé dans l'ombre. Hubert-Alain Delatour marcha à grands pas vers l'antique Lincoln 86. Dans la pénombre, il distingua la silhouette de son chauffeur, assis derrière le volant. Pour la première fois depuis trente ans, il allait s'asseoir à l'avant, à côté de lui. Il songea distraitement : « Pourvu qu'il se soit mis en civil ! »

Si tout allait bien, ils seraient au port en moins d'une demi-heure. Il se sentait de taille à déjouer la surveillance des patrouilles de sécurité qui devaient, théoriquement, sillonner les rues vides de Toulon Côte-Est. Théoriquement. Pour Delatour, il ne faisait aucun doute que ces histoires de consignes de sécurité et de couvre-feu total n'étaient destinées qu'à une chose : maintenir la population dans l'ignorance des faits. On servait le prétexte d'une manœuvre extraordinaire impliquant une invasion E.T. débile, et hop !...

Il contourna la voiture, ouvrit lui-même sa portière. Sa coupure au menton le démangeait. Il se pencha, pour entrer dans la voiture, mais se figea.

Le chauffeur était toujours immobile (oui, il avait passé des effets civils), les mains sur le volant. Mais sa tête était un peu trop penchée sur son épaule et il avait perdu un peu trop de sang par la plaie béante de sa gorge ouverte.

— Montez, colonel, dit la voix dans son dos.

Un objet dur poussa dans ses reins.

Le colonel Delatour, rasé de frais, eut un hoquet et tomba coudes en avant sur le siège. Il se fit mal au genou.

Les deux balles l'atteignirent dans cette position, en pleine nuque, le décapitant littéralement.

L'homme qui avait tiré empocha son revolver après avoir soufflé dans le tube du silencieux. Il fut rejoint par deux autres qui sortirent de l'ombre du garage. Tous trois marchèrent vers l'ascenseur. Ils montèrent vers l'appartement.

*
**

Le général Joseph Saint-André était au milieu de ses hommes.

A Canjuers.

Encerclé.

C'était un peu avant midi, et ses radios avaient intercepté des messages qui laissaient supposer que des renforts arrivaient par la route. Des renforts pour ceux qui assiégeaient le camp.

Le général allait mourir en soldat. Mais ça le consolait à peine. Il n'y a que dans les livres et la propagande que les soldats, à plus forte raison les généraux, sont fiers de mourir pour une cause. Le général aurait bien vécu quelques années de plus, s'il avait eu le choix. Seulement, il n'avait pas le choix.

Quant à ceux qui allaient se battre sous ses ordres, qui allaient eux aussi mourir en soldats, ils n'étaient plus en état de se rendre compte par eux-mêmes de la situation. Ils savaient simplement qu'ils allaient se battre contre l'ennemi. Jusqu'au dernier. Eux non plus n'avaient pas le choix.

CHAPITRE VIII

C'était midi, approximativement... Léridan n'avait pas de montre et il ne tenait pas
à attirer l'attention sur sa personne, ne fusse
qu'en demandant l'heure. Le soleil était
haut dans le ciel où de petits nuages ronds,
maigrelets, flottaient d'est en ouest.

Une heure auparavant (toujours approximativement) l'avion s'était posé sur un terrain isolé. Les montagnes avaient disparu. le
paysage était nu, terriblement plat, et tout
ce que l'on pouvait apercevoir au-delà des
hangars ou des clôtures de grillage était une
chaîne de collines rousses, très loin, qui
tremblaient dans l'air chaud. On ne leur
avait pas dit le nom du terrain. Ils savaient
qu'ils se trouvaient en France-Europe, et
c'était tout.

Recrues et soldats étaient descendus de
l'avion. Ils avaient pu s'apercevoir que cet

avion était unique. Le seul, alors qu'ils avaient pu en compter six sur l'aire d'envol de Gerona. Combien avaient décollé de Gerona, combien atterriraient ou avaient atterri sur ce terrain mystère ? Ils ne savaient pas et personne ne leur avait fourni le moindre renseignement à ce sujet. Leur appareil était peut-être le seul...

Il y avait, de nouveau, des camions rangés en bordure de piste. Et de nouveau on les avait fait monter dans ces camions qui, sans attendre, avaient démarré. Ils étaient environ quatre cents recrues, dans une vingtaine de camions, plus quelques command-jeeps d'encadrement. En comptant les chauffeurs et leurs coéquipiers, le groupe comprenait une soixantaine de soldats.

A vive allure, la colonne avait pris la route, suivant un itinéraire sinueux à travers une succession de collines et de tertres roux couverts d'une maigre végétation. Parfois, la route filait à flanc de coteau, dans un paysage sévère de presque montagne. Les villages traversés étaient rares — et vides, comme désertés, abandonnés — mais ils n'étaient pas abandonnés, et de simples détails, tels que du linge séchant sur des cordes ou encore des voitures en stationnement sur le bord des trottoirs, le prouvaient : simplement, les habitants étaient claquemurés dans leurs maisons, derrière leurs portes et volets clos.

Léridan, une fois de plus, était assis contre la ridelle de fond de caisse, et la bâche relevée claquait contre son oreille. En face de lui, un soldat casqué somnolait bouche ouverte, la tête appuyée contre l'arceau métallique. Ses mains étaient à plat sur le fusil posé en travers de ses genoux. Difficile à dire, en fait, s'il somnolait réellement : la visière semi-opaque de son casque était baissée et cachait son visage à moitié.

Léridan laissa courir son regard à l'intérieur du camion. Apparemment, les trois quarts des hommes assis sur les bancs dormaient — et eux ne feignaient pas ! — terrassés par la fatigue. Les têtes ballaient au rythme des cahots, les corps se pressaient l'un contre l'autre, dans les virages.

Léridan reporta son attention sur le soldat qui lui faisait face, et il le surveilla pendant un long moment, sans ciller. Le bourdonnement régulier du moteur, le claquement doux de la bâche à ses oreilles, faillirent avoir raison de sa vigilance. Il sursauta. Il était à peu près certain que le soldat dormait.

Il jeta un coup d'œil à l'extérieur, en

direction du camion suiveur. Une vingtaine de mètres séparaient les deux véhicules ; quand le premier négociait un virage, le second disparaissait pendant une quinzaine de secondes.

Quinze secondes. C'était peut-être suffisant, pour sauter d'un coup par-dessus la ridelle et se laisser rouler sur le bas-côté. Même si l'événement réveillait brusquement le soldat, Léridan était persuadé qu'il ne donnerait par l'alarme pour autant et ne courrait pas le risque d'arrêter la colonne. Un fuyard sur quatre cents recrues, cela n'en valait pas la peine. Il n'aurait pas non plus le temps de se ressaisir et d'utiliser son arme. Le danger viendrait du second camion. Léridan se demandait s'il valait mieux pour lui rouler à gauche ou à droite de la route. A gauche, c'était une pente caillouteuse et des épineux serrés ; à droite, une pente également, mais descendante, moins abrupte, semée de grosses pierres.

Et si les soldats du second camion utilisaient leurs armes ? Sans pour autant arrêter la colonne, évidemment. Un tir « sportif », par la portière, sur cible mouvante... Le serjefe Almeido l'avait bien précisé, dans l'avion, avant la projection de ces abominables films : à la moindre tentative d'évasion nouvelle, pas de cadeaux pour les couards qui ne méritaient rien de mieux qu'une giclée de balles...

C'était si... stupéfiant ! Léridan ne parvenait pas à y croire. Déjà, il s'était fait rosser deux fois — et la seconde sérieusement ! — par ces soldats *amis* dont le rôle était d'assurer la Paix et la tranquillité des civils du monde entier. Il était un civil. Et on était venu le chercher dans sa montagne, dans son village, pour en faire un soldat. Il n'avait rien demandé. Les soldats appartenaient à une catégorie sociale élitaire et l'armée n'acceptait pas n'importe qui dans ses rangs : à preuve, Juan-Majin qui aurait fait des pieds et des mains pour porter l'uniforme, et qu'on avait pas voulu.

Et voilà que cette armée recrutait de force parmi la population civile, sous prétexte d'événements exceptionnels qui mettaient en danger la Paix mondiale. Ensuite, une bonne partie de ces recrutés étaient renvoyés dans leurs foyers, car, apprenait-on, le danger se trouvait partiellement jugulé grâce aux troupes régulières... Mais il n'en demeurait pas moins que certains foyers brûlants subsistaient, et qu'il fallait les éteindre.

Pour ce faire, on utilisait une partie des

recrues globalement mobilisées initialement, sous le prétexte d'un entraînement au cas où, dans l'avenir, se reproduirait semblable situation. Et si jamais l'invasion devait être générale, il faudrait également que la défense le soit. Puisque le recrutement avait été amorcé, autant poursuivre l'expérience avec des éléments civils...

C'était ce qu'avait dit Almeido.

Léridan n'y pouvait pas croire. Comme il ne parvenait pas à admettre l'existence d'un ennemi extra-terrestre. Pourtant, les autres semblaient avoir gobé sans difficulté la version des faits. La révolte de quelques-uns, sur le terrain de Gerona, était principalement due à un sentiment d'injustice, lorsqu'ils avaient compris qu'ils devaient monter dans l'avion et que d'autres, beaucoup d'autres, non seulement ne s'envoleraient pas mais allaient retourner chez eux. C'était cela qui les avait poussés à fuir aveuglément, et non pas le *refus* de cette aventure abracadabrante. Comment pouvaient-ils accepter ? Comment pouvaient-ils croire ce qu'on leur avait expliqué ?

Peut-être parce qu'ils en connaissaient davantage que Léridan. S'ils savaient lire, ou s'ils possédaient ces radios sans fil, et ces postes de télévision comme en ville... Peut-être que les extra-terrestres existaient vraiment, et qu'ils ne l'ignoraient pas, et que la chose ne les avait pas étonnés...

De toute façon, cette affaire n'était pas celle de Léridan. Il se réveillait seul, au milieu de quatre cents. Il ne tenait pas du tout à se retrouver avec un de ces fusils-à-feu dans les mains, lancé à l'assaut de quelque position tenue par des « ennemis » insensibles à la douleur... comme dans ces films.

Il était le seul. Bastiano Ramuz, Angelo et Juan Videlo, Marcello Donva, Irrès Basquiez... tous, où étaient-ils ? Et Mueppe ? Il ne savait même pas si Mueppe se trouvait parmi les quatre cents. Probablement pas. Ils étaient restés sur le terrain d'aviation, là-bas, à Gerona. Peut-être qu'on les avait déjà renvoyés, ou reconduits, au village. Ils étaient à Calata Pueblo, et ils racontaient. Ils disaient : « Léridan n'est pas avec nous. Il a été choisi. » Et Marga écoutait. Que disait-elle ? Est-ce qu'Enrique était redescendu de la montagne ? Et Malimitos ? Comment se débrouillait-il, avec les chèvres ?

Léridan posa une main sur le rebord de la ridelle. Il se souleva doucement sur une fesse, prenant appui, les pieds joints, sur le plancher du camion. Ce simple mouvement suffit pour réveiller quelques tiraillements douloureux dans ses muscles meurtris. Léridan ravala une grimace.

Le soldat dormait. Son casque cognait à petits coups contre l'arceau métallique soutenant la bâche.

Léridan attendit que le camion s'engage dans le virage et que le véhicule suiveur disparaisse derrière la paroi rocheuse. Il se haussa... et la main de son voisin se posa lourdement, fermement, sur sa cuisse. Léridan qui avait à peine décollé ses fesses du banc retomba assis. Le deuxième camion réapparut.

Ce grand type maigre qui disait s'appeler Luis (et qui avait fait partie des fuyards de l'aéroport de Gerona) continua de presser pendant quelques secondes sur la jambe de Léridan, tout en soutenant son regard. Lorsqu'il sentit que Léridan se décontractait, il retira sa main, eut un hochement de tête et un sourire rapide. Il murmura :

— Aucune chance, amigo.

Il jeta un coup d'œil en direction du soldat, qui n'avait pas bronché, et poursuivit à mi-voix :

— Lui, ce n'est rien. Mais les autres (il

désigna le camion, à dix mètres) ne t'auraient pas laissé une chance.

Léridan ne dit rien. Il se contenta de
regarder pendant un certain temps les deux
silhouettes à travers le pare-brise du camion
suiveur. Puis il se tourna de nouveau vers
Luis.

Lequel hocha la tête, une fois encore.

— Pas une chance, amigo. J'y avais son-
gé, moi aussi... Mais j'ai compris. Le terrain
n'est pas suffisamment accidenté pour qu'on
puisse s'y cacher en dix secondes. N'essaie
pas, camarade. Tout ce que tu y gagneras,
c'est trois ou quatre balles dans la peau. Tu
ne tiens pas à crever ici, hein ?

Léridan fit « non » de la tête, l'air abattu.

— Moi non plus, dit Luis. Je ne tiens pas
à crever ici — on ne sait même pas où — ni
ailleurs, dans cette aventure de cinglés. J'ai
très envie de revoir mon village. Je suis de
San Pealto. Et toi ?

— Calata Pueblo, souffla Léridan.

Luis fronça les sourcils et réfléchit pendant quelques secondes.

— Je ne connais pas, avoua-t-il.

— Moi non plus, dit Léridan. (Et il
précisa, devant le regard étonné de Luis :)
Je ne connais pas San Pealto.

Luis fit une grimace. Il avait une figure

sympathique, un regard profond, de grandes lèvres tendues sur une dentition de vieux cheval. Il pouvait être âgé d'une quarantaine d'années. Ses longues mains osseuses étaient recouvertes de cicatrices, les paumes noircies par le cal.

— C'est un village dans la montagne, dit-il. Calata aussi, je suppose ?

Léridan acquiesça.

— Oui, oui, murmura Luis. Tous, ici, ou presque tous, nous venons de villages perdus dans la montagne. Il y a quelques exceptions, mais pas beaucoup, je crois.

Il scruta Léridan, comme s'il attendait de sa part une réaction particulière, après ce qu'il venait de dire. Léridan se contenta de soutenir son regard un instant, puis il détourna les yeux.

— Je suis marié et j'ai quatre enfants, dit Luis. Et toi ?

— Je vais me marier, dit Léridan.

— Ha ha ! Elle est jolie, sûrement.

Léridan opina du chef. Il sourit.

— Oui, dit Luis... (Il ferma les paupières à demi, garda le silence un long moment. C'était comme s'il avait décidé d'interrompre cette conversation. Puis, il reprit :) Je ne sais pas ce qu'ils vont essayer de nous faire faire, mais à la première occasion...

Il regarda le soldat, puis Léridan.

— Moi aussi, dit Léridan.

— Je sais. Il faudrait qu'on reste ensemble. On ne connaît pas ce pays, ni rien. A deux, ce sera peut-être plus facile...

Léridan hocha la tête, vigoureusement. Son regard brillait. Luis lui adressa un clin d'œil complice. Il croisa ses bras, s'appuya au siège du banc et allongea ses jambes en prenant garde de ne pas toucher celles de l'homme assis en face de lui, et qui dormait, tout comme le soldat, les mains posées, paumes en l'air et tremblantes, sur ses cuisses.

— Pendant le trajet, c'est impossible, dit Luis.

Léridan s'adossa également contre la bâche. Il se mit à parler. Il raconta la vie à Calata Pueblo. Il raconta Magda. Et cela lui fit du bien. Luis écoutait.

Léridan demanda quelle heure il était à Luis, mais celui-ci ne possédait pas de montre non plus. Le soldat réveillé par les puissants cahots (comme la majorité des occupants du camion) jeta un coup d'œil à son poignet et renseigna :

— Treize heures dix.

Léridan ne savait s'il devait remercier, ou

dire quelque chose : il garda le silence, leva une main qu'il referma sur le bourrelet de la bâche, afin de mieux résister aux tressautements. C'était parfaitement impossible de suivre le regard du soldat à travers la visière de son casque.

Depuis un certain temps, ils avaient quitté la route goudronnée pour un chemin de terre rouge, à peine moins sinueux, mais plus large, qui filait au fond d'une étroite faille encaissée dans le roc. De toute évidence, ce passage n'était pas naturel : des mineurs et des conducteurs de trax l'avaient ouvert à coups d'explosions et de machines. Les plaies dans la roche dénudée en témoignaient.

Une poussière ahurissante s'élevait au-dessus des camions et le véhicule suiveur n'était plus, aux yeux de Léridan, qu'un fantôme grisâtre flottant dans l'atmosphère rouge. La poussière s'insinuait partout, irritait les yeux. Elle s'élevait en grasses volutes malmenées à plusieurs dizaines de mètres de haut, cachant le ciel.

— Où allons-nous ? demanda Luis au soldat.

— Tu verras. Comme moi.

Sous la visière, la bouche aux lèvres épaisses avait lâché les deux courtes rafales de mots. Sèchement, mais sans animosité. L'homme n'avait pas à en dire davantage, c'était tout.

Le silence, à l'intérieur du camion, s'installa de nouveau, derrière les ronflements et bourdonnements de moteur. Quelques raclements de gorges, des quintes de toux provoquées par la poussière parfois, de loin en loin. Les hommes tirés de leur somnolence échangeaient des regards morts, ou bien se contentaient de regarder le vide, droit devant eux.

La route de terre dure et de pierrailles concassées, au fond de la faille, s'élargit encore, les murailles du goulet s'écartèrent pour se métamorphoser en talus de terre et de gazon sec. La poussière était moins épaisse.

Et la colonne ralentit ; le camion dans lequel se trouvait Léridan s'immobilisa presque tandis que le suiveur s'approchait à moins de trois mètres. On entendit s'élever des voix, loin en avant. Après quelques minutes, les camions se remirent à rouler au pas. D'après ce qu'en voyait Léridan, le paysage était devenu presque plat et la route traversait une vaste esplanade limitée à plus de cent mètres par les bourrelets des coteaux aplatis.

Tout à coup, ils aperçurent les soldats, les camions stationnés sur cette esplanade, les engins guerriers (command-jeeps armées, tanks, lance-roquettes mobiles) aux couleurs délavées par la poussière. Il y avait plusieurs centaines de soldats, en armes, assis en plein soleil, ou bien allant et venant. Certains, qui portaient un brassard blanc sur leur chemise d'uniforme noir, se tenaient au bord de la route, portant de lourds fusils mitrailleurs à la bretelle, et regardaient passer le convoi.

Puis les soldats et le matériel disparurent, le paysage se vida, les flancs des talus se resserrèrent progressivement. La route descendait maintenant en pente douce et les lacets succédaient aux lacets. Léridan avait fermé les yeux : mais il voyait toujours les chars et les tubes lance-roquettes.

Il était quatorze heures lorsque la colonne de camions s'immobilisa pour de bon. Définitivement.

Le but était atteint.

Les coéquipiers des chauffeurs descendirent des cabines. Le soldat en face de Léridan se leva et dit :

— A terre, les gars !

Il déverrouilla la ridelle qui s'abattit en claquant. Léridan le premier sauta au sol, immédiatement suivi par Luis, puis par les autres.

Les camions étaient stationnés de chaque côté de la route. Devant eux s'étalait un vaste plateau de terre rouge — absolument rouge et dont l'éclat était encore avivé par le soleil — bordé par de lointains coteaux en gradins qui transformaient cet espace en une sorte de cuvette. Pas un arbre (sinon dans les lointaines brumes de chaleur qui palpitaient aux limites de cette cuvette), pas même une touffe de genêts, un quelconque arbrisseau. La terre. La terre rouge.

Au centre du plateau encaissé, il y avait le camp. La route y menait.

Une première barrière de grillage, à deux cents mètres des camions, avait été partiellement arrachée. Le portail jeté à terre. Une seconde, deux cents mètres plus loin, paraissait intacte. Plus loin encore s'élevaient les murailles (également rouges) qui ceignaient le camp militaire. Et c'était tout. On n'apercevait rien d'autre ; juste les murailles, avec la porte close percée en bout de route.

Les hommes furent rassemblés sur le bord de la route, face au camp fortifié. Des soldats gradés les encadrèrent ; Léridan reconnut le serjefe Almeido, qui marchait avec un autre serjefe plus petit et râblé. Il vit plusieurs dizaines de véhicules stationnés en bout de colonne, et notamment de longs cars jaunes qui ressemblaient à des autobus. Il y avait également quelques tentes dressées sur l'accotement et, apparemment, beaucoup de remue-ménage autour.

Le petit serjefe accompagnant Almeido se planta devant eux. Elevant la voix, il leur dit :

— Je m'appelle Spori Dunove. Mon grade est celui de serjefe. Je vous demande un moment d'attention.

Il avait chaud, sa chemise était marquée par la sueur, maculée de poussière.

— Voilà l'objectif, dit Spori Dunove en désignant d'un coup de pouce le camp dressé derrière lui au milieu du plateau. C'est là que se tient l'ennemi, et c'est cet ennemi que vous devrez neutraliser. La partie ne sera pas facile, mais il ne s'agit pas non plus de mission suicide. Vous serez sérieusement encadrés par les troupes régulières ici présentes, et par nous-mêmes. Je prendrai part à l'opération, ainsi que tous les serjefes. Si vous mémorisez correctement nos instructions, cette opération sera terminée avant ce soir, et sans casse.

Il attendit un moment, puis :

— D'après nos informations, l'ennemi

qui a pris position dans ce camp de l'armée franc-européenne est très éprouvé. Il se peut qu'il se rende sans résister, mais il se peut également qu'il utilise ses armes, ou encore les armes des forces trouvées sur place. En clair, cela signifie que nous aurions alors à affronter des soldats conditionnés tels que vous en avez vus dans le film d'instruction à bord de l'avion. Nous serons nous-mêmes à l'abri des possibles émanations de gaz dépersonnalisant, ou anti-douleur, grâce aux masques qui nous seront distribués.

Il s'interrompit une fois de plus. A vingt pas, un autre serjefe tenait le même discours. Spori Dunove poursuivit :

— Si tel est le cas, pas de quartier, et tirez sur tout ce qui bouge. Sur tout ce qui ne portera pas votre uniforme muni du brassard que nous vous donnerons. Tirez et touchez la tête : c'est le meilleur moyen d'annihiler net un sujet « gonflé » aux dépersonnalisants anti-douleur. Cela dit, rien ne nous permet d'affirmer qu'il y aura combat. Je vous l'ai dit : peut-être se rendront-ils.

— Et s'ils utilisent des armes inconnues ? demanda quelqu'un.

— Ce n'est pas à rejeter, dans l'hypothèse, dit le serjefe. Mais peu probable, néanmoins. Nos victoires sur l'ennemi en d'autres points du territoire nous ont permis d'étudier leur armement. Apparemment, rien de fantastique n'a été découvert jusqu'à maintenant.

— Pourquoi nous ? demanda Luis, à côté de Léridan.

Spori porta sur lui son regard perçant. Il parut hésiter, une fraction de seconde.

— On vous l'a déjà dit, répondit-il. Tout s'est bien passé jusqu'à maintenant, et cette opération demeure un exercice sur le vif pour le cas où, dans l'avenir, toute la population devrait être mobilisée dans une lutte défensive contre une invasion planétaire. C'est votre vie, la vie des vôtres, la race humaine tout entière, peut-être, que vous défendez en accomplissant cette mission. D'autres questions ?

— Naturellement, dit Luis, nous n'avons pas la possibilité de choisir ? Nous ne pouvons pas refuser de participer à cette action ?

— Evidemment, dit le serjefe. Si dans l'avenir une opération d'invasion à grande envergure a lieu, vous n'aurez pas davantage de choix. Il vous faudra vous battre...

et c'est toujours plus facile de se défendre contre un ennemi que l'on connaît, même partiellement.

— Pourquoi nous ont-ils attaqués ? s'enquit un autre homme. Qu'est-ce qu'ils veulent ?

— Nous le saurons plus tard, dit Spori Dunove. Quand on aura étudié leur langage, et si nous avons fait des prisonniers, je suppose. En tout cas, si on connaît en haut lieu leurs motivations, on ne nous en a pas fait part. Nous sommes un élément du mécanisme global de défense, pas son cerveau. Nous avons reçu des ordres et nous les exécuterons ; nous ferons ce que l'on attend de nous.

« Notre rôle est d'une terrible importance. Je crois pouvoir vous dire qu'à l'échelle planétaire cette tentative d'invasion n'est pas connue. L'information est limitée au secteur touché et aux pays limitrophes. Pour les mobilisés civils dont on n'aura pas utilisé les services, ceci restera une manœuvre, un exercice. Pour la population du secteur de zone zéro également. Les différents points de conflit à l'intérieur de ce secteur sont maintenant pacifiés. Reste cet objectif, et votre rôle est de le neutraliser. »

Il se tut. Comme tous, il regarda en direction des murailles rousses. Là-bas, rien ne bougeait.

CHAPITRE IX

Spori Dunove regarda du côté de ses trois collègues serjefes qui attendaient, à une cinquantaine de pas. Seules les recrues les plus proches purent l'entendre dire :
— Patientez un moment.

Il s'éloigna, laissant les hommes debout au bord de la route, sous le soleil, toujours encadrés par quelques dizaines de soldats casqués et armés. Il s'efforça d'offrir aux regards qui le suivaient une apparence décidée en même temps que décontractée, mais il n'était pas certain de faire illusion. Une grande lassitude pesait sur lui, dans chacun de ses muscles ; ses chaussures semblaient avoir doublé leur poids.

Il avait chaud, faim, soif, et savait que rien ne l'empêcherait de transpirer, que rien n'étancherait sa soif et qu'il serait parfaitement incapable d'avaler une bouchée solide sans la rejeter immédiatement. Le malaise s'était installé dès sa descente d'avion, pour amplifier tout au long du trajet par route.

A présent, au cœur de ce paysage d'un autre monde qui ne faisait qu'aiguiser la sensation d'étrangeté, ce malaise menaçait d'exploser dangereusement à tout instant. Spori Dunove déployait de sérieux efforts pour masquer son désarroi intérieur.

— Dios malditos ! dit-il en arrivant près des serjefes. Cette chaleur !

— Si encore, renvoya le serjefe Maquis, il y avait un arbre, un seul et malheureux pin, pour faire de l'ombre...

Maquis n'était pas plus grand que Spori, ou à peine, mais il était plus rond, boudiné dans son uniforme, en nage. La lueur qui traversa son regard clair, derrière la mimique apparemment décontractée, avouait une inquiétude mal dissimulée semblable à celle qu'éprouvait Spori. Par contre, Almeido et Vultien paraissaient tout à fait à leur aise, au pied du mur et satisfaits de l'être, prêts à mordre. Spori dit :

— Franchement, je me demande comment nous allons pouvoir encadrer sérieusement cette troupe de civils...

— Ils ne sont plus civils, dit Almeido. Ils portent un uniforme et sont mobilisés.

— Dis-moi un peu ce que cela change en ce qui concerne leur manque d'expérience... et leur peu d'enthousiasme ?

— On leur en donnera, de l'enthousiasme ! rétorqua Almeido. Ils auront quarante professionnels au cul, et s'ils ne marchent pas droit, ils risquent de voir quelques-uns d'entre eux mordre la poussière avant d'avoir touché l'enceinte de grillage.

— Ce sont les ordres ? demanda Spori, qui se sentit blêmir, puis rougir.

Almeido lui jeta un regard noir, sans répondre autrement que par un haussement d'épaules. Vultien dit :

— Les ordres, précisément, on va les prendre auprès de Gardalian. Le lieutenant nous attend là-bas, dans son espèce d'autobus jaune.

Ils regardèrent les véhicules stationnés en bout de colonne de camions, les tentes, et les silhouettes qui se mouvaient alentour.

Maquis articula lentement, comme s'il se parlait à lui-même :

— Aucun matériel offensif lourd dans les parages, apparemment... Est-ce qu'ils comptent nous envoyer quelques-uns de ces tanks que nous avons vus en ceinture, tout à l'heure, ou bien ces pièces sont-elles posi-

tionnées à demeure, simplement pour
encercler le périmètre de l'objectif ?

Personne ne lui répondit. Après quelques
secondes de silence, Vultien dit :

— On y va. Dans quelques minutes, on
ne se posera plus de questions.

« Pas sûr », songea Spori. Il annonça :

— Je suis chargé de l'instruction et de
l'armement. Je verrai le lieutenant plus tard.

Ni l'un ni l'autre ne fit de remarque ; c'est
à peine si Almeido lui jeta un rapide coup
d'œil étonné... Pas vraiment intrigué, juste
étonné. Les trois serjefes s'éloignèrent,
Maquis agitant fébrilement ses courtes jambes pour rester à hauteur des deux autres.
L'image était presque comique et Spori fut
tenté de sourire. Un instant, il suivit des
yeux ses collègues qui se dirigeaient vers le
car jaune du P.C.

Le lieutenant Gardalian se trouvait dans
ce véhicule, sur place, désigné par
l'U.F.A.M. pour le commandement de
l'opération.

Spori le savait, il l'avait appris par radio
en cours de route et dans une liaison directe
reçue à bord de sa command-jeep. Cette
communication lui avait également transmis
l'ordre de s'occuper de l'instruction et de
l'armement des recrues — avec des consi-

gnes très particulières et précises — et cela
fait il rencontrerait seul le lieutenant Gardalian.

Spori soupira profondément. Il vit courir
dans sa direction son planton-jefe de
1ʳᵉ classe Marga, soulevant de petits nuages
rouges à chaque fois que ses semelles s'arra-
chaient au sol. Il l'attendit.

— Accélération de l'instruction, dit
Marga. Le lieutenant vous attend dans une
demi-heure.

— Quel est le climat, là-bas? s'enquit
Spori.

— Fébrile... Mais ce n'est certainement
pas l'angoisse. Il y a tout un paquet de types
apparemment importants et qui ont l'air
tout aussi déguisés, dans leurs tenues de
combat, que les recrues. Pas des soldats,
c'est certains. Ils ne portent pas de grades,
ni d'armes.

— Nombreux?

— D'après ce que j'ai vu, une bonne
dizaine, mais peut-être davantage. Ils sem-
blent disposer de deux cars... et ils s'occu-
pent également d'une roulante. Après l'instruction, des boissons et un léger repas froid
seront servis aux recrues.

Spori acquiesça d'un mouvement de la

tête. Il retira son képi, se gratta le sommet du crâne, replaça le képi.

— Les armes sont prêtes, dit Marga. Dans ce camion, là-bas.

— Parfait...

Spori retourna vers les recrues, dont la plupart s'étaient assises dans la poussière et sur la terre dure. Seuls, les soldats restaient debout ; certains discutaient mollement avec des hommes accroupis.

— Messieurs ! cria Spori.

Quatre cents paires d'yeux se tournèrent dans sa direction et le clouèrent sur place. Il frissonna, dans la lourde chaleur. Pourtant, ce n'était certes pas la première fois qu'il s'adressait à plusieurs centaines d'hommes — mais il s'agissait alors de soldats aux regards vides, et non pas de recrutés de force.

Si la différence n'existait pas pour un personnage du type d'Almeido, elle était bel et bien un sérieux handicap pour Spori. Il songea : « Je suis certainement le moins apte pour ce genre de mission... En tout cas, cela ne me convient guère. Et pourtant, c'est moi que le lieutenant Gardalian a désigné, et c'est avec moi qu'il veut s'entretenir en particulier. Pourquoi ? » En attendant d'obtenir une réponse, le mieux était de ne pas accorder trop d'importance à l'un ou l'autre de ces regards posés sur lui... Considérer tout cela comme une masse anonyme.

— Suivez-moi en bon ordre, jusqu'au camion, là-bas. On va vous distribuer des armes, et vous enseigner leur manipulation, qui est extrêmement simple, compte tenu que chacun d'entre vous possède certainement un fusil de chasse, pas vrai ? Après quoi, on vous distribuera des boissons et de quoi manger.

Les hommes se levèrent et se mirent en marche. Spori suivit la colonne.

Devant le camion, un groupe de soldats distribua les fusils. C'étaient des armes légères semblables à celles que portaient les soldats. Spori expliqua qu'il s'agissait de fusils-lasers ; il expliqua que ces armes ne tiraient pas des balles ni des chevrotines, comme de simples fusils de chasse ancestraux, mais qu'elles émettaient un trait de chaleur hautement concentrée et d'une portée variable.

Leur maniement était ultra-simple, qu'il s'agisse de tir au jugé ou de tir de visée, l'arme était maniée comme n'importe quel fusil ordinaire. Le réglage de l'intensité de feu, et donc de portée, s'effectuait grâce à une pression plus ou moins importante sur la détente qui comprenait trois positions possibles.

Les hommes recrutés se montrèrent intéressés presque malgré eux par la démonstration, réagissant comme la majorité des habitants des montagnes dès qu'on leur met un fusil entre les mains. Spori fit une démonstration, tirant sur les pierres en direction du campement militaire (toujours silencieux et comme abandonné).

Puis il invita quelques recrues à l'exercice. Des traits de feu furent crachés par une dizaine de canons, l'un après l'autre et en bon ordre, sous l'étroite surveillance des soldats. Les pierres se dissolvaient en fumant, et les tireurs ne pouvaient s'empêcher de laisser échapper un cri à la fois surpris et admiratif.

Ensuite, Spori demanda aux hommes de rendre les fusils. On les leur redonnerait plus tard. Des masques à gaz leur furent distribués, leur fonctionnement expliqué. Cela fait, ils purent conserver les masques...

— Terminé! cria Spori. Dirigez-vous là-bas, et rangez-vous sur la route, à hauteur des véhicules jaunes. Vous devez, comme moi, crever de faim et de soif! On va y remédier!

Le troupeau s'ébranla. Pour la première fois, il y eut des exclamations joyeuses.

Spori consulta sa montre. Il fit un signe de tête en direction de Marga et se dirigea vers le car du P.C.

Son cœur s'était mis à battre un peu trop fort ; Spori essaya de se calmer en respirant lentement et profondément, mais cela n'eut aucun effet.

***

On leur mettait un fusil dans les mains et c'était comme s'ils s'éveillaient d'une longue torpeur. Ou alors, au contraire, ça les soûlait... Quoi qu'il en soit, le résultat était stupéfiant.

Léridan ne comprenait pas vraiment.

Il était convaincu que la plupart des recrutés partageaient son angoisse, ou, sinon, qu'ils étaient sonnés, abattus, brinquebalés dans les remous de cette aventure... Et voilà qu'il se retrouvait au milieu d'une bande d'enfants excités par une distribution de jouets. Le serjefe instructeur qui leur avait distribué (puis repris) les fusils et expliqué leur fonctionnement avait raison : c'étaient des chasseurs.

Et lui aussi était chasseur. Ça ne l'empê-

chait pas d'être incapable du moindre frisson d'enthousiasme, tenant ce fusil-à-feu
dans ses mains. Il ne pouvait pas. Le chasseur était resté dans les montagnes aux
alentours de Calata Pueblo ; quant au Léridan Jorgue ici présent, dans ce décor fou de
terres rouges sans arbres, il faisait plutôt
figure de gibier.

Avec un de ces fusils, un soldat lui avait
tiré dessus — ou peu s'en fallait ! — pour le
capturer et le jeter dans ce cauchemar.
Léridan ne pouvait éprouver pour cette
arme une quelconque sympathie.

Le maigre Luis semblait partager à la fois
sa répulsion envers l'arme et son étonnement au sujet de l'attitude générale des
recrues. Il échangea avec Léridan un regard
complice, plutôt abasourdi, une grimace
sèche. Mais pas un mot.

Ils suivirent le flot, en direction des véhicules jaunes. Le soldat qui marchait à côté
d'eux grognait parfois et frappait sa chaussure droite contre la gauche, comme si son
pied lui faisait mal.

Devant les cars, on leur ordonna de
s'arrêter, de s'asseoir au bord du chemin. Il
n'y avait d'ailleurs pas de chemin : l'espace
de terre aplani sur lequel ils se trouvaient

faisait apparemment le tour du plateau. Ils se laissèrent tomber au sol.

De cet endroit, le campement militaire n'était plus visible de face, mais un peu de biais. Il ressemblait à un étrange parallélépipède écrasé dont la rectitude des lignes tranchait curieusement sur l'alentour ; le silence brut contenu par ces bâtiments fermés achevait de renforcer l'aura d'étrangeté que dégageait la construction. Un objet monstrueux et bizarre. Une chose, pourquoi pas, tombée du ciel... ou bien surgie de terre par quelque manipulation magique.

Luis regardait l'enceinte de pierre du campement. Son regard était flou, ses paupières mi-closes. Il murmura :

— Nous sommes une expérience... Pour le cas où dans l'avenir tous les civils de la planète seraient appelés à se battre. C'est ce qu'on nous a dit, pas vrai ?

Un homme trapu se trouvait à côté de lui, casqué et le masque à gaz pendu au cou. Il prit pour lui la réflexion de Luis et répliqua :

— C'est ça, amigo. Et ils n'ont pas tort : ça me plaît assez qu'on m'apprenne à utiliser un pareil fusil. S'il doit y avoir un conflit généralisé, un jour...

— Qui te dit que tu reviendras de cette petite fête d'aujourd'hui ? demanda Luis.

L'autre cligna de l'œil.

— Avec ce genre de flingot dans les mains, tu peux être sûr que j'en reviendrai.

— Ils ont probablement le même genre de flingot, en face, dit le voisin du type qui ne semblait pas, lui non plus, baigner dans l'euphorie la plus pure.

— Ça me fait pas peur ! répliqua le type. Tu ne sais pas ce que je vaux, un fusil dans les mains.

Il se mit à expliquer ce qu'il valait. Luis s'écarta de lui pour se rapprocher de Léridan. Ils se trouvaient suffisamment isolés, au milieu de tous, pour pouvoir échanger quelques phrases sans être entendus par des oreilles indiscrètes.

Il dit :

— Dios ! ils n'avaient qu'à utiliser leurs tanks et toutes ces sacrées machines qu'on a vus, là-haut... C'est une affaire qui les regarde. La guerre tout autant que la paix sont une affaire de militaires. Même en cas d'invasion planétaire ils devraient être capables de faire leur devoir, et leur travail, sans avoir recours aux civils qu'ils sont censés protéger.

Il attendit une réponse de Léridan. Ce dernier hocha affirmativement la tête.

— Je me suis fait rosser deux fois, dit

Léridan d'une voix sourde. Deux fois, et par des soldats qui auraient dû au contraire me protéger... Une fois à mon village, et ils m'ont emmené. Une autre fois là-bas, avant de monter dans l'avion. Tu étais déjà monté dans un avion ?

— Non... Moi aussi ils m'ont tapé dessus, mais ça va. Et toi ?

Léridan fit une grimace distraite. Il regardait le campement militaire.

— J'ai mal partout. Aux reins surtout. Et puis dans la figure.

— C'est des égratignures, dit Luis. On risque un peu plus sérieux, tout à l'heure... Bon Dieu, quand je vois ce que font ces fusils...

— Ils m'ont tiré dessus avec un de leurs trucs, dit Léridan sans ciller. Chez moi, là-haut. Ils m'ont manqué... Je ne sais pas s'ils me visaient vraiment. Je ne crois pas. Ils ont touché une poutre d'un hangar, et la poutre a été à moitié tranchée. Je l'ai vue.

— Et moi, j'ai vu ce que ça a donné, tout à l'heure, sur les pierres...

Des soldats revêtus de longues blouses ocre, aux pans flottants, avançaient parmi les hommes assis à terre. Ils portaient des paniers plats, deux par deux, dans lesquels ils puisaient les victuailles qu'ils distribuaient.

Luis, qui les regardait approcher, souffla :

— On nourrit le gibier avant de le lâcher sous le feu des chasseurs...

Léridan parut ne pas avoir entendu (en fait, il avait perçu un murmure indistinct) et demeura figé, son attention toujours braquée sur le campement fortifié, au loin. Il dit :

— Je n'irai pas.

Ce n'était qu'un souffle, mais qui contenait néanmoins toute l'énergie d'une décision irrévocable.

— Hé ! amigo ! dit Luis, attirant l'attention de Léridan de la voix et du geste en posant brièvement sa main sur son bras.

Léridan cilla et regarda son voisin.

— Calme-toi, dit Luis. Ne t'énerve pas.

— Je suis calme et je ne m'énerve pas, dit Léridan sur un ton posé qui confirmait son affirmation. Je n'irai pas.

— Et comment comptes-tu t'y prendre ?

— C'est certainement possible. Je me cacherai, je n'entrerai pas dans ce camp. Je resterai au-dehors, au-delà des murailles. Je n'entrerai pas là-dedans. Je me cacherai et j'attendrai le bon moment pour filer.

— Ensuite ?

— Je ne sais pas. Je verrai. Mais je n'entrerai pas dans ce camp. Je n'ai rien à voir avec tout cela.

— Ils prétendent le contraire, fit Luis entre ses dents.

— Je me fous de ce qu'ils prétendent. Je n'irai pas. Je me cacherai et j'attendrai que tout soit terminé.

Luis roula à plat ventre ; accoudé au sol, il faisait mine de s'intéresser aux fragments de terre sèche et aux graviers rouges, sous son nez.

— Mais comment ça va se terminer ? dit-il. Et comment le savoir ? C'est là que rien ne va plus... Il faudrait peut-être essayer de filer avant d'arriver aux murailles. Je ne sais pas où, ni comment, ni quand. (Il glissa un coup d'œil du côté de Léridan ; acquiesça en constatant que ce dernier le regardait et poursuivit :) On ne peut même pas faire de plan. On ne sait pas comment les choses vont se passer... Peut-être qu'ils sont capables de tirer sur les fuyards et les... comment dit-on ?... les déserteurs ?

Les soldats porteurs de paniers approchaient. Léridan ne répondit point. Luis se remit assis et posa ses avant-bras sur ses genoux relevés. De la poudre rousse maculait tout le devant de sa chemise et les cuisses de son pantalon.

Les soldats en blouses ocre leur donnèrent un sandwich et une boîte de métal jaune, sans inscription ni étiquette.

— Qu'est-ce que c'est? demanda Luis.

— De la bière.

Les soldats passèrent, continuant la distribution. Ils étaient plus âgés que tous ceux que Léridan avait vus jusqu'alors : entre cinquante et soixante ans, au moins. Léridan les suivit des yeux un instant. Les soldats armés qui faisaient les cent pas avaient eu droit eux aussi au casse-croûte et ils mâchaient consciencieusement, la visière de leur casque relevée.

Léridan ouvrit le petit pain, renifla la tranche de jambon. Il posa le sandwich sur sa cuisse et tira l'œillet métallique qui ouvrait la boîte de bière. Il but et grimaça.

— Oui, grogna Luis. Ce n'est certainement pas une bière de premier choix.

Le breuvage était tiède, amer. En deux gorgées, Léridan acheva d'avaler le contenu de la boîte. Il mordit dans le sandwich. Après avoir mâché et avalé une première bouchée, il dit :

— Alors, je me servirai de mon fusil pour me défendre.

Luis le regarda sans comprendre.

— S'ils tirent sur les déserteurs, précisa Léridan.

Il arracha une seconde bouchée de pain moite et de jambon trop sec.

Il regardait la boîte vide, à ses pieds. Le soleil brillait sur le métal doré.

Et cette brillance explosa.

Doucement, Léridan tomba sur le côté. Il fit un effort gigantesque pour recracher sa bouchée de pain. Il crut voir un soldat proche s'écrouler, très très lentement. Mais il n'était pas certain. La terre avait une odeur étrange, âcre et chaude.

Léridan ferma les yeux.

CHAPITRE X

Georgio Gardalian était un homme de grande taille, massif, à la silhouette alourdie par un début d'empâtement, comme cela se produit immanquablement chez les sujets sportifs qui désertent le club d'athlétisme au profit d'un tabouret attitré au bar du mess des officiers. Le bourrelet de graisse qui le ceinturait tendait la chemise de toile kaki.

Il avait un cou puissant et un double menton. Son visage était carré, avec un fort et large maxillaire inférieur, un menton court. Une oreille, la gauche, curieusement ourlée sur elle-même, ainsi qu'un nez brisé, un peu de travers, attestaient de son passé de boxeur. Ses cheveux étaient noirs, frisés, avec une tache grisonnante juste au milieu du front, et plutôt longs pour un officier.

Gardalian était âgé d'une quarantaine d'années et il en paraissait peut-être un peu moins. En dépit de sa forte stature et de son faciès malmené, une impression de grand calme, presque de douceur, se dégageait de sa personne. A cause de sa voix posée ?... De la chaleur de son regard brun et profond ?

Un planton qui s'ennuyait introduisit Spori Dunove dans le car aménagé et referma la porte derrière lui.

— Serjefe Spori Dunove, 42ᵉ Infant. d'Espagne-Europe, en manoeuvres exceptionnelles E.T. en zone zéro, sous le haut commandement U.F.A.M., récita d'une seule traite Spori, figé et saluant. A vos ordres.

— Ça va bien, Dunove, dit doucement Gardalian.

Il quitta la table de campagne surchargée de cartes et de graphiques derrière laquelle il se tenait, s'avança vers Spori main tendue. Son shake-hand était pour le moins vigoureux... Un sourire tranquille s'étira sur ses lèvres et brilla dans ses yeux.

— Comment vous sentez-vous ?

— Un peu nerveux, j'avoue, dit Spori.

Gardalian acquiesça.

— Je le conçois. Et je le comprends. Le manque d'informations précises rend nerveux, n'est-ce pas ?

— Je crois, dit Spori.

— Et moi, j'en suis certain. Tranquillisez-vous, Dunove. Vous allez obtenir toutes les informations que vous pouvez souhaiter. Un verre ?

— Volontiers, lieutenant.

L'intérieur du car avait été aménagé en une pièce de trois mètres sur quatre, et un peu plus de deux mètres de haut. Les parois métalliques étaient nues, recouvertes de peinture grise. Deux ouvertures latérales, carrées, de cinquante centimètres de côté, laissaient passer la lumière à travers des vitres dépolies. Il y avait un minimum de mobilier : la table, deux sièges pliants, un petit placard de tôle à deux portes. De ce placard, le lieutenant Gardalian sortit une bouteille d'alcool blanc et deux verres, qu'il posa sur un coin de la table. Il versa l'alcool, tendit un verre à Spori.

C'était du feu, et les larmes vinrent aux yeux du serjefe. Gardalian sourit.

— Tequila. De la pure.

— C'est... Un cheval mort se relèverait ! dit Spori.

Gardalian désigna un des sièges et s'installa dans le second, faisant craquer l'armature tubulaire.

— Installez-vous, Dunove. Nous avons

peu de temps et je vous dois un maximum d'explications, ainsi que des instructions précises pour ce qui va se jouer ici.

Spori avala une nouvelle gorgée et prit place dans le fauteuil de toile. La boule d'angoisse qui lui pesait au fond de la gorge avait miraculeusement disparu, envolée... dissoute par ce feu liquide que Gardalian baptisait paisiblement tequila? Ou alors, c'était l'attitude du lieutenant, l'aura de force paisible que dégageait sa personne, qui suffisaient à rassurer...

— J'avoue, dit Spori, que depuis quelque temps — depuis le début de cette opération — les ordres reçus sont suffisamment flous pour provoquer une multitude d'interrogations.

— Ce qui ne semblait pas être le cas pour vos collègues serjefes que je viens de recevoir... Mais passons. Vous êtes un bon élément, Dunove. Carrière modèle, exemplaire s'il en est. Je vous en félicite.

— Merci, lieutenant.

— C'est également le cas des serjefes Almeido, Maquis et Vultien, qui vous accompagnent pour cette mission... Même si, comme je viens de le dire, ils ne se posaient pas de questions... excepté Alfredo Maquis, peut-être...

— Je ne sais pas, dit Spori. Je ne les connais pas. J'ai rencontré Almeido dans l'avion de Gerona. Les deux autres ici même.

— C'est exact. Vous êtes donc tous quatre de bons éléments, et c'est la raison pour laquelle vous avez été désignés pour cette mission un peu… particulière. Vu la rapidité à laquelle se sont déroulés les événements, j'imagine que ce choix, cette sélection, ont été opérés par un ordino. Ce qui rejette toute éventualité de passe-droit et de complaisance. Cette mission menée à bien, je dois vous dire que vous serez certainement élevé au grade de capitano, à moins que vous ne choisissiez un secteur directement rattaché aux effectifs d'encadrement de l'U.F.A.M… toujours au même grade, évidemment. Qu'en dites-vous ?

Spori aurait voulu pouvoir réagir sereinement ; il se contrôla du mieux qu'il put, mais se sentit néanmoins rougir fortement. Ses tempes étaient brûlantes.

— J'en serais… très satisfait, lieutenant. Vraiment très satisfait.

— Vous le pourrez, serjefe Dunove. Et vous le mériterez. Une très belle carrière s'ouvre devant vous, à cette minute.

— Si je reviens en vie de cette mission,

dit Spori. Cette forteresse, là-bas, ne se laissera certainement pas abattre comme un vulgaire château de cartes.

Gardalian plissa les paupières et considéra Spori Dunove un instant, sans mot dire, avec une expression mi-amusée, mi-réfléchie, au fond de l'œil. Il sécha son verre et le posa sur la table.

— Vous reviendrez de cette mission, serjefe, dit-il. C'est vrai que Canjuers IV ne se laissera pas enlever facilement, mais nous y parviendrons. (Il regarda sa montre.) Dans moins d'une heure, théoriquement, nous devons passer à l'offensive. Vous êtes prêt, Dunove ? Je vais vous donner les explications et éclaircissements que vous attendez.

— Prêt, lieutenant.

Gardalian hocha la tête. Pendant quelques secondes, rassemblant ses idées, il tortilla entre deux doigts son oreille en chou-fleur, puis il s'appuya lourdement au dossier de toile de son fauteuil (nouveaux craquements), croisa ses mains sur son ventre. Il planta son regard dans celui de Spori, et il dit :

— La situation est la suivante, Dunove : un complot terroriste a été découvert, il y a quelques jours, par les agents des services secrets de l'U.F.A.M. C'est contre ce complot que nous nous battons. Je passe sur les détails des opérations qui ont permis de découvrir le pot aux roses à temps... Vous les connaîtrez plus tard, si vous en manifestez le désir.

« Pour l'heure, nous irons au plus pressé et je me contenterai de vous tracer les grandes lignes de l'affaire. Le complot visait l'U.F.A.M., sa réputation, sa crédibilité auprès des masses civiles planétaires ; il visait à l'intégrité de l'Union des Forces Armées Mondiales et espérait probablement faire basculer dans le désordre le plus atroce un système péniblement mis en place et assurant depuis un demi-siècle la Paix dans le monde. Tout cela pour servir quelques intérêts particuliers de groupes économiques multinationaux, asseoir les rêves de gloire et de puissance de quelques fous dans les hautes sphères gouvernementales.

« La motivation est quelque peu naïve, mais bel et bien réelle. Je dis « naïve » car je connais l'infaillibilité du système de surveillance et de protection des services secrets de l'U.F.A.M. et de la Dissuasion. La preuve, nous avons pu déjouer à temps ce complot. »

Spori se sentait de nouveau la gorge un peu sèche. Il profita du temps de silence tombant au bout de la déclaration de Gardalian pour demander :

— Un complot... militaire ?

Gardalian eut une expression exagérément désolée.

— Dunove, voyons..., dit-il sur le ton du reproche amical.

Puis il redevint sérieux, précis.

— Une rébellion militaire, de quelque armée que ce soit, est absolument hors de question. Tout à fait exclue, inenvisageable, impensable... Et vous le savez. Dans chaque pays, chaque nation possédant une armée, la recherche scientifique militaire est sévèrement contrôlée par les services de supervision de l'U.F.A.M. Nous sommes la première puissance mondiale, Dunove, je n'ai pas besoin de m'appesantir à ce sujet et de vous le rappeler... Au-dessus des gouvernements civils, de quelque obédience politique qu'ils soient, se trouve l'Union des Armées et la Dissuasion.

« Il est hors de question, je le répète, qu'une armée nationale songe à camoufler, pour ensuite utiliser à son seul profit dans des intentions de suprématie, une découverte importante dans le domaine des armements. Toutes ces découvertes sont contrôlées, toutes les recherches sont connues et

partagées au sein de l'U.F.A.M., afin que
chaque force armée puisse en « bénéfi-
cier ». Une nation qui songerait à utiliser à
son seul profit telle ou telle découverte
mettrait tout simplement le feu à la planète
et se suiciderait en même temps qu'elle
détruirait le globe... Non. Ce complot a
été ourdi par des civils, dont certains travaillaient à la recherche militaire. Ce groupe de
fous rebelles, je vous l'ai dit, cherchait
probablement à utiliser ces découvertes
militaires pour sinon renverser l'U.F.A.M.,
du moins discréditer dans l'opinion publique
mondiale la haute efficacité du système mis
en place par la Dissuasion. Ils obéissent à
des groupes gouvernementaux et économiques qu'il convient d'identifier et de neutraliser.

« L'épuration est en cours. Ces rebelles
ont partiellement utilisé les forces de l'armée nationale franc-européenne, dans le
but d'accuser directement cette armée, par
la suite, et de l'utiliser comme paravent. »

Gardalian marqua une nouvelle pause,
jeta un coup d'œil du côté de son verre vide,
comme s'il hésitait, ne sachant s'il devait ou
non le remplir. Il décida de ne pas y toucher
et reporta son attention sur Dunove. Lequel
était un peu pâle, avec juste une rougeur

appuyée sur les pommettes. Son verre d'alcool aux deux tiers vide tremblait entre ses
doigts. De la sueur brillait à la racine de son
nez.

— Comment auraient-ils pu utiliser l'armée franc-européenne ? interrogea sourdement Spori.

Gardalian eut un rictus silencieux, et
rapide.

— En utilisant cette arme dont ils se sont
emparés *contre* des éléments de l'armée
qu'ils comptaient ensuite téléguider selon
leur plan. En noyautant des chefs militaires
sous influence tels que les généraux Maurice
Bond, Joseph Saint-André et le colonel
Hubert-Alain Delatour. Ces trois officiers
ont payé de leur vie leur opposition au
complot et ont été tués par les rebelles. En
fait, Saint-André se trouve maintenu en
otage à quelques centaines de mètres de
nous : il est aux mains du dernier noyau de
résistance de Canjuers IV. Nous le considé-
rons comme perdu.

« L'arme utilisée par les membres du
complot est le G. 108. Gaz dépersonnalisant
et analgésique total... Vous connaissez cette
arme. Le sujet qui respire le G. 108 se
transforme en robot dont le potentiel d'utilisation est multiplié par vingt, ou davantage,

en raison même du fait de son insensibilisation à la douleur. La dépersonnalisation permet en outre d'augmenter par un processus simple son agressivité, en même temps que l'on « téléguide » son psychisme sur un ordre précis qu'il respectera aveuglément. Voilà comment les comploteurs ont pu noyauter une partie de l'armée régulière.

« Ils ont agi en plusieurs points du pays de France-Europe. Leur opération était d'envergure. L'U.F.A.M. a cependant réagi à temps, et à l'heure actuelle ces divers points de feu sont « éteints », neutralisés par des groupes d'assaut de l'armée nationale franc-européenne qui n'avaient pas été touchés par cette infiltration. Oui, l'U.F.A.M. a agi à temps... Bon Dieu, si l'on imagine que ce complot aurait pu être découvert quelques heures plus tard... c'était toute l'armée nationale franc-européenne qui se serait retrouvée sous infuence G. 108... et là, pas question de passer sous silence cette affaire...

« Bond et Delatour n'ont pas été sacrifiés (ne se sont pas sacrifiés) en vain. Saint-André, là-bas, à Canjuers, est perdu. Et il doit le savoir. Il est peut-être mort à l'heure actuelle, ou encore vivant, en otage... le résultat est le même. Tout l'effectif du camp est sous G. 108. Prêts à nous recevoir... Ils ne sont plus des nôtres. Ils ne sont plus humains... Des robots, aux mains de quelques fous. Et nous devons les effacer de la surface de la terre. »

Spori avait vu les films. Non seulement dans l'avion, mais bien avant. Comme tout officier et sous-officier de l'armée nationale d'Espagne-Europe, il avait reçu une instruction détaillée concernant le G. 108. Il savait que si l'effectif de Canjuers IV se montait à mille hommes, le 108 multipliait leur efficacité combative par trente. En face, il y avait quatre cents recrues civiles inexpérimentées...

— Pourquoi ne pas écraser Canjuers sous un pilonnage d'artillerie ? demanda-t-il. Ou encore, pourquoi ne pas charger l'aviation de cette affaire ?

— Logique, dit Gardalian. A priori, logique... Nous laisserons cependant l'artillerie et l'aviation hors jeu pour deux raisons. La première de ces raisons est la suivante : un pilonnage d'artillerie, ainsi qu'un bombardement par l'aviation feraient tout bêtement beaucoup trop de bruit. La destruction du camp serait difficilement explicable dans le cadre d'une manœuvre... Et il y a la seconde raison, mais j'y viendrai plus tard.

« Quand le complot a été connu, il fallait à tout prix taire la réalité pour éviter une panique générale ainsi qu'une levée de boucliers et de protestations contre l'inefficacité du système protecteur dissuasif. L'U.F.A.M. a donc décrété le black-out général de la zone affectée, à savoir le territoire de France-Europe. Motif officiel : manœuvres exceptionnelles de l'armée, sous couvert d'une pseudo-résistance à une invasion d'ennemis inconnus... extra-terrestres, pourquoi pas.

« Les autres nations ne sont même pas au courant, excepté les nations frontalières et certains secteurs en particulier dans lesquels s'est effectuée la mobilisation civile. Mobilisation extraordinaire, toujours sous prétexte d'une invasion de type extra-terrestre. Cette mobilisation, dite générale, a par la suite été interrompue, et un bon nombre de recrues sont d'ores et déjà retournées dans leurs foyers. Pour eux, la manœuvre est terminée.

« En fait, il se trouve également que vu la rapidité à laquelle a été menée l'opération de neutralisation, nous n'avions plus besoin de ces civils. Donc, je le répète : dans le cadre de cette pseudo-manœuvre, impossible de sacrifier à coups de roquettes et de bombes une place forte et importante de l'armée franc-européenne. »

— Sans aller jusqu'à la destruction matérielle et... bruyante de l'objectif, dit Spori, nous pouvions larguer des bombes à gaz asphyxiants, par exemple. Des containers de cyano-B.333.

Gardalian secoua la tête négativement.

— Hors de question. Les rebelles et les troupes soumises au G.108 sont peut-être également — c'est probable — immunisés contre ces gaz, ou contre tout autre procédé bactériologique. La parade est connue, elle existe et les moyens sont à la portée de toute armée. Et puis... il y a la seconde raison. Une expérience, en quelque sorte, Dunove.

Tandis qu'il prononçait cette dernière phrase, le regard de Gardalian s'était bizarrement durci. L'expression tranquille et calme avait fondu sur son visage, remplacée par une empreinte de dureté inflexible.

— Il importait, dit lentement Gardalian, que les recrues que nous allons utiliser ne soient pas du pays, qu'ils ne soient pas franc-européens... afin que nul ne se pose de questions dans l'avenir sur leur éventuelle disparition. Pour la même raison, il importait que les recrues ne soient pas de centres urbains importants, dans les pays limitrophes. Les mobilisés dans ces villes sont rentrés chez eux sans problème. Et c'est pourquoi le groupe de quatre cents hommes dont vous avez le commandement est essentiellement composé de sujets venus de villages retirés en montagne, coupés généralement de la vie normale, répartis sur une aire géographique très distendue. Pas plus d'un sujet par village. Leur disparition sera mise sur le compte des accidents admis dans toute manœuvre.

— Leur disparition ? souffla Spori.

Gardalian poursuivit, comme s'il n'avait rien entendu :

— Toujours pour des raisons de sécurité, ces éléments ne peuvent faire partie des effectifs comptabilisés de l'armée régulière, afin que leur disparition ne soit par la suite source de problèmes et d'interrogations indiscrètes. Quatre cents est un chiffre qui compte. Les quarante soldats réguliers qui encadrent ce commando suffisent, plus l'effectif du camp... qui doit être annihilé. Plus les quelques dizaines de morts, ici et là, à travers le pays, après nos opérations de nettoyage.

« Le chiffre atteint largement le pourcentage de pertes qui nous est reconnu habituellement au cours de manœuvres ordinaires, et pour lequel on ne s'interroge pas... Nos accidents du travail, en somme. Quant aux officiers et personnalités qui ont trouvé la mort dans cette affaire, officiellement ils seront tombés victimes des comploteurs civils, si nous devons dévoiler l'affaire au grand jour, ou sinon, ils seront victimes de fous, d'anarchistes déviants... de toute façon tombés au service de l'U.F.A.M.

« Pareillement, si nous devons révéler ce complot — au niveau gouvernemental des autres nations, par exemple — toutes ces victimes seront comptabilisées non plus dans la marge des pertes admises, mais comme victimes des comploteurs. Et ce sera la version officielle au cas où nous devrions révéler l'affaire aux civils. »

— Quelle est cette expérience ? interrogea Spori.

Il but ce qui restait d'alcool dans son verre. Se soulevant du fauteuil, il posa le verre sur le coin de la table, puis reprit place. Le dos de sa chemise était à tordre.

— Virgules téléguidées, dit Gardalian. Vous savez de quoi il s'agit ?

— Bon Dieu, fit Spori, je venais d'y penser...

— Bravo, sourit le lieutenant. Les événements nous permettent d'expérimenter sur le terrain et dans un contexte de guerre réelle cette arme offensive mise au point par les laboratoires de l'U.F.A.M. Découverte des groupes de recherche U.S., je crois.

— Exact, dit Spori. Personnellement, j'en ai pris connaissance il y a moins d'un an. J'ai assisté à une expérimentation sur sujet animal, et sur sujet humain. Mais il ne s'agissait pas de... de groupe. Et le contexte guerrier était simulé. Ici, dans ce cas...

— Dans ce cas, nous avons quatre cents cobayes inexpérimentés, et une quarantaine qui sont au contraire super-entraînés. Nous allons lancer ce groupe à l'assaut d'un effectif de zombies sous influence G.108. Et nos quatre cent quarante virgules téléguidées doivent gagner ! En fait, nous pensons que « l'ennemi » n'est pas beaucoup plus nombreux. C'est le 108 qui le rend spécialement dangereux. Si les comploteurs avaient choisi Canjuers I, ou II, ou même III, cela aurait été différent.

— Bon sang ! lança Spori. Comment pouvons-nous « traiter » plus de quatre cents sujets et les conditionner de façon qu'ils... Comment, en si peu de temps...

— L'opération est probablement terminée, dit Gardalian. Ou en cours d'achèvement. Les films projetés dans l'avion qui franchissait les Pyrénées était un montage d'images visibles et d'images subliminales enregistrées par la rétine et mémorisées par le cerveau sans que le sujet en soit conscient. Ce programme est une information hypnotique qui, le moment voulu, conditionnera nos sujets de façon à ce qu'ils tirent uniquement sur toute cible humaine ne portant pas leur brassard de reconnaissance. C'est un premier point.

« D'autre part, l'implantation de l'électrode dans une des zones de plaisir du cerveau — en l'occurrence, je crois qu'il s'agit d'une stimulation de la région ventrolatérale du thalamus — s'effectue très facilement à l'aide d'un casque-gabarit. Nos docteurs doivent en avoir terminé : nous avions préalablement distribué des boissons à tous ces hommes qui crevaient de soif... des boissons, et des sandwiches, car ils avaient très faim, également... La bière et le pain contenaient des soporifiques. Il suffit d'une demi-heure pour implanter l'électrode de contrôle, à l'aide du casque-gabarit, à plus de quatre cents sujets.

« Et voici comment nous dirigerons cette opération. Les casques de combat sont solidement fixés sur la tête des sujets et contiennent dans l'épaisseur même du métal un relais de sécurité qui actionne l'implant cervical, transmettant l'information émise par un opérateur-superviseur assis devant son écran de contrôle. Le sujet est dirigé vers un but choisi par l'opérateur grâce à l'excitation constante provoquée qui fait naître en lui un très grand plaisir. Si le titillement cesse, le plaisir cesse également. L'opérateur peut ainsi diriger le sujet où bon lui semble. »

— A condition qu'il connaisse le théâtre des opérations.

— Il le connaîtra. L'objectif sera survolé à haute altitude par des hélicos munis de radars à balaiement serré, qui retransmettront aux consoles de contrôle non seulement la position des implantés sous contrôle, mais aussi les échos des ennemis. Le même dispositif de détection-traduction est inclus dans les casques et les masques à gaz des sujets. L'information est couplée avec celle des radars des hélicos, analysée et transmise.

« Dans le cas présent, elle sera fragmentée en quatre secteurs, et ventilée sur quatre écrans. Le préconditionnement des sujets, en outre, agira de telle façon qu'un sujet considérera automatiquement tout soldat non porteur du brassard de reconnaissance comme un élément cherchant non pas à le tuer mais à stopper son plaisir. Ce qui sera insoutenable. Le combat aura lieu au fusil, et dans l'enceinte.

« Si d'aventure les rebelles cherchaient à utiliser leurs roquettes, la ceinture de protection de l'armée régulière, que vous avez traversée en venant, utilisera ses propres missiles A.M. Mais je n'y crois pas. Un homme sous 108 n'est plus capable de faire fonctionner sérieusement un lance-roquettes. Mais si cela se produisait... »

Gardalian se tut. Sans le quitter des yeux, Spori garda le silence, un moment. Il dit :

— En admettant que l'ennemi diffuse un gaz 108, ou tout autre dépersonnalisant, tout autre poison ?

— La mise sous implant est une première dépersonnalisation, qui abrite de toute autre intrusion. Et il y a les masques protecteurs. L'émission de poisons serait suicidaire... Et puis, encore une fois, il y a les masques.

Nouveau silence.

— En moins d'une demi-heure, dit sourdement Gardalian, nous pouvons enlever cette position. Ce sera intéressant de voir comment réagissent des sujets inexpérimentés, en groupe, et d'autres... les uns comme

les autres dans des circonstances aussi...
difficiles.

— Ensuite ? demanda Spori d'une voix
blanche. Pour les survivants ?

— Nous ne savons pas s'il y aura des
survivants, dit Gardalian... Les crosses des
fusils-lasers contiennent des charges anti-
personnel. Rayon d'action : dix mètres...
sans fausse note possible, G. 108 ou pas : la
seule façon de neutraliser ces fauves, une
fois l'objectif atteint par nos virgules.

— Mais... si, tout de même, il y avait des
survivants ?

— Les cas seront étudiés très sérieusement.

Il y eut encore un silence.

— Je suis opérateur sur un des écrans de
contrôle, dit Spori.

— Exact. C'est vous, et vos trois collègues, qui allez mener les opérations. A
distance. Après quoi, vous serez capitanos,
ou davantage.

— Une question, encore, dit Spori. Cette
expérience... Des applications civiles,
ensuite... ?

— Il est temps de gagner votre poste, dit
Gardalian, avec le sourire. L'U.F.A.M.
compte sur vous, Dunove. Est-ce déraison-
nable ?

— Non, lieutenant. Je suis honoré de cette confiance.

— Sur ce terrain, dit encore Gardalian, nous sommes vingt, pas davantage, à connaître la vérité. Les toubibs et nous. Les forces d'encerclement se croient en manœuvre, et si besoin est, elles ouvriront le feu sans même voir sur quoi elles tirent.

— Et les hélicos ?

— Et les hélicos, bien sûr.

Gardalian se leva. Spori en même temps.

— Allez, dit Gardalian, après la poignée de main.

Au grand soleil, Spori, debout, regardait les hommes armés, casqués, immobiles. Tous tournés vers le camp militaire. Tous munis d'un brassard blanc. Tous silencieux.

Les seuls qui bougeaient étaient les docteurs en blouses ocre et les trois serjefes-opérateurs, près des voitures de supervision. Spori chercha des yeux le planton qui l'avait introduit dans le car, et il ne le vit point. Il chercha Marga, et ne le vit pas davantage.

Il se mit en marche et se dirigea vers les voitures. Ses tempes bourdonnaient. Il avait l'impression, tout à coup, d'avoir grandi de plusieurs centimètres.

CHAPITRE XI

Il se sentait merveilleusement, délicieusement bien.

Bien dans sa peau. Bien dans sa tête.

Il était avec les autres, comme les autres, et marchait. Son corps était léger, souple, chacun de ses muscles fonctionnait avec une pleine efficacité. C'était fantastique de se savoir porté par une telle machine de muscles, de nerfs, d'os et de sang. Il était tout entier planté dans un instant présent parfait. Une perfection qui tenait du miracle !

Jamais il n'avait connu cela auparavant, jamais il n'avait ressenti une pareille volupté, de tout son être, aussi bien physique que mentale. Jamais.

D'ailleurs, « auparavant » ne signifiait plus rien pour lui.

Ce n'était pas un problème.

Il n'y avait plus de problème, d'aucune sorte.

Il y avait le bonheur, la perspective de cette fabuleuse récompense qu'il allait recevoir bientôt. Pourquoi une récompense ? Qu'avait-il fait pour la mériter ? En fait, il ne savait pas, ou ne savait plus, et ne s'interrogeait même pas à ce sujet. Il n'y avait plus d'interrogations.

Il marchait, il était bien.

Son couvre-chef le protégeait contre toute malveillance imaginable... Pourquoi aurait-il fait l'objet de malveillances, quelles qu'elles fussent ? Au fond de sa conscience une petite voix serinait une manière d'avertissement à ce propos. Non. Pas une « petite voix ». Rien de tel et rien qui soit audible. Une manière de sensation interne, étrange, inexplicable. Il n'avait pas envie d'expliquer.

Il marchait. Ou il flottait.

Il avançait.

Avec les autres, tous ses amis... Comme il était leur ami à tous. Ils se ressemblaient, par l'habit qu'ils portaient, par le brassard d'un blanc éblouissant qui enserrait étroitement leur biceps droit, par cet outil qu'ils tenaient à deux mains et serraient précieusement contre leurs poitrines. Par ce masque de cuir, au groin de métal rouge, aux yeux ronds, comme de gros yeux de mouche, et qui brillaient dans l'ombre portée par la visière du casque. Derrière ces yeux-là, de plex très épais, le vrai regard n'existait plus.

Qui était-il ?

Réponse : il était.

Des ondes de plaisir pulsaient dans ses chairs. Pas seulement dans son crâne, mais dans toutes les fibres de son être. Un vrai plaisir sexuel, qui montait, montait... Mais pas uniquement plaisir sexuel. Plaisir de l'âme aussi (s'il est possible d'établir la dissociation). Plaisir total.

Mais non pas entier, absolu. Le summum n'était pas atteint, et il le savait. Plus tard. S'il se comportait honorablement. Ce serait alors l'explosion, l'indicible déflagration, le jamais ressenti. La perfection. Il en avait conscience. Cette explosion se produirait lorsqu'il atteindrait le but.

Le but était cet édifice aux murailles aveugles qui s'élevait en plein centre du décor rouge.

*

Les quatre voitures étaient rangées en éventail, séparées entre elles par six ou sept mètres, à une distance d'environ trente pas de la première palissade. C'étaient de petits command-cars couverts, mais le poste de conduite était à l'air libre. A l'intérieur du caisson, il faisait sombre et l'espace était réduit : juste de quoi permettre à l'opérateur de s'installer sur le siège pivotant, face au pupitre et à l'écran.

Les voitures étaient reliées au car qui abritait le complexe ordino chargé de la réception des informations, de leur tri et de leur redistribution sur les écrans de contrôle.

La dernière chose qu'avait vu Spori Dunove avant de pénétrer à l'intérieur de la voiture et de refermer la portière derrière lui, c'était les camions qui disparaissaient sur la route... Et il se demanda si les chauffeurs avaient été témoins de l'endormissement général de près de cinq cents recrues et soldats, s'ils savaient... Il supposa que non. Il avait vu aussi le groupe des docteurs de la recherche, autour du car de l'ordino.

Il s'était installé sur le siège, qui était dur et tout à fait inconfortable, dans la méchante lueur jaune sale diffusée par une lampe témoin scellée dans le toit du caisson.

Il était calme. Le choc causé par les

révélations/explications de Gardalian n'avait eu que très peu d'effet, finalement. Peut-être parce que la révélation n'en était pas réellement une et que Spori avait, sinon deviné, du moins pressenti la vérité dans sa généralité : Gardalian avait confirmé des suppositions vagues et donné des détails.

L'utilisation du dispositif « virgules » n'avait pas davantage désarçonné Spori Dunove, qui connaissait ce procédé, l'avait étudié en profondeur moins d'un an auparavant et avait même subi un entraînement poussé dans la manipulation de la télécommande des virgules et la lecture d'un écran. A ce jeu (car ç'aurait pu être un jeu banal électronique, comme il en existait des centaines), Spori avait reçu les plus hautes notes. C'est probablement ce qui avait motivé sa désignation pour le contrôle et la direction de cette expérience sur le terrain en contexte de guerre réelle.

La voix qui retentit dans les écouteurs du casque qui coiffait Spori était sèche, impersonnelle. Elle signala le début de l'opération sans faire le moindre commentaire. Dans le quart de seconde suivant, l'écran palpita et donna l'impression qu'il se gonflait sous un flux de lumière grise. Une centaine d'échos en formes de virgules s'inscrivirent sur toute la surface de l'écran. L'ordino avait sélectionné et distribué la part des pions qui revenait à chaque opérateur... ou chaque joueur ? Le clavier des commandes comportait une quarantaine de touches, disposées sur quatre rangs de dix. Une touche comptant pour une dizaine de virgules, seule la première rangée était allumée.

— Départ, ordonna la voix dans le casque.

Spori pianota légèrement sur les touches et il ressentit une indéniable satisfaction à voir s'animer ses virgules. Il les contrôla, par groupes de dix, en appuyant plus ou moins fort sur chaque touche, provoquant des excitations plus ou moins importantes... Les virgules obéirent à la perfection, les plus « activées » se déplaçant d'autant plus rapidement, tandis que les moins activées faisaient quasiment du surplace. Après avoir effectué cette vérification, Spori maintint son groupe en excitation moyenne.

— Position ennemi ? demanda-t-il.

L'écran se coupa en deux dans le sens de la longueur, horizontalement. En dessous, l'information réduite de la position tenue par ses virgules, au-dessus, un amalgame de points ronds et brillants qui figuraient l'ennemi détecté et positionné par les radars à ondes bio des hélicoptères espions. L'ordino inscrivait également un plan aérien de la base, sur lequel s'imprimaient les flots serrés de « bips » ronds et lumineux. Spori fut étonné de constater que l'ennemi n'occupait qu'une faible partie du campement, et plus spécialement les bâtiments administratifs du centre. Avant-même qu'il n'en fasse la demande, l'ordino le renseigna :

— Ennemi estimé à cinq cent trente-huit unités.

Spori grogna de satisfaction — et de soulagement. Il avait craint un effectif beaucoup plus élevé. Cinq cent trente-huit, c'était un chiffre acceptable, même en tenant compte des effets du G. 108. Et de toute évidence, les hommes terrés dans le campement étaient sous effet G. 108. Leur position groupée le confirmait clairement. Ils étaient ces rats que la terreur transforme en petits fauves et qui, acculés, se regroupent en un bloc grouillant au fond du labyrinthe, dans l'attente du choc et de l'affrontement final. Les missiles ne seraient pas tirés depuis Canjuers IV...

La seconde barricade grillagée se dressa devant les virgules. Un simple trait en pointillé, zébrant l'écran de gauche à droite, l'image étant de nouveau consacrée intégralement aux pions de Spori.

Le meneur de jeu Dunove eut un sourire léger. Ses doigts caressèrent doucement la rangée de touches, augmentant la sensation de plaisir dans la tête des hommes que représentaient les virgules lumineuses... Et du même coup leur agressivité contre l'obstacle dressé devant eux qui s'opposait à leur cheminement vers la source d'un plaisir plus grand encore. En un rien de temps, la barrière fut franchie. Là-bas, ailleurs, sur le terrain, les virgules humaines avaient probablement fait usage de leurs fusils-lasers.

Pour la première fois, véritablement, Spori sentit monter en lui cette excitation bien particulière, indéfinissable, que ressent tout joueur menant une partie importante, quel que soit le jeu. Il s'aperçut qu'il avait la gorge sèche, mais que ses doigts, par contre, étaient désagréablement moites. Rapidement, il essuya ses mains sur le devant de sa chemise, reposa les doigts sur les touches allumées.

Il demanda un panoramique aérien sur les virgules et constata que tous les groupes se trouvaient à la même hauteur. C'était parfait.

* *

Ils avaient franchi deux obstacles : le
premier était cette palissade ridicule, le
second la porte close du mur d'enceinte.
Comme les autres, il avait utilisé son outil,
pour balayer ces obstacles ; c'était un outil
d'une rare efficacité.

Tout son être vibrait ; c'était curieux car,
en même temps, il n'avait plus véritablement conscience des limites de son corps. Il
était une chaleur, un bouillonnement de
sensations physiques infiniment agréables. Il
était une jouissance crue et irradiante qui lui
tendait le sexe, battait avec le sang contre
ses tempes... et ses tempes se trouvaient
partout, dans toutes les directions. Il marchait vers un plaisir toujours plus grand,
plus fort.

Parfois, c'était comme s'il fermait les
paupières, et alors il voyait flotter dans un
espace étroit l'image d'une fille nue, provo-
cante, aux longs cheveux lisses et noirs. Elle
avançait vers lui, roulant les hanches, riant,
portant ses seins dans ses mains en coupe. Il
devait la connaître. Sa toison pubienne était
aussi noire que ses cheveux. Il devait la
connaître. Mais non, il ne la connaissait pas,

elle n'existait pas réellement, et il ne fermait pas les yeux.

Parfois, il s'arrêtait de marcher, sans savoir pourquoi. C'était affreux, il ne voulait pas s'arrêter. Le plaisir fondait graduellement, s'envolait ; à sa place, c'était comme une douleur qui grandissait vilainement et qui le dessinait dans l'espace. Il devenait un autre. Quelqu'un, du nom de Léridan, lui hurlait des propos incompréhensibles aux oreilles... des cris, des braillements de supplicié. Il se remettait en marche, courait ici et là, dans n'importe quelle direction, jusqu'à ce que cette panique s'apaise et que revienne le plaisir. Alors il se dépêchait, il se dépêchait...

Spori Dunove était penché sur le clavier, la lumière bleue de l'écran caressant son visage luisant de sueur. Ses doigts couraient sur le clavier, ses yeux mi-clos suivaient la danse silencieuse des virgules mêlées aux « bips » ennemis.

Sa respiration était saccadée, tout son être tendu par l'importance du jeu. Il ne savait plus rien, ne voyait plus rien : que le tourbillon des échos lumineux.

Il aurait été incapable de dire depuis combien de temps dansaient les virgules.

* * *

Le lieutenant Gardalian s'éloigna un instant du groupe des docteurs de la recherche qui suivaient l'affrontement sur leur propre écran de contrôle. Il fit quelques pas, regarda du côté du campement. C'était assez stupéfiant de penser que là-bas les deux groupes antagonistes étaient entrés en contact et se massacraient allégrement. Il n'y avait pas un bruit... Le silence absolu.

Gardalian était maintenant certain de la victoire et du succès de l'opération. Les premiers résultats obtenus par les virgules téléguidées et l'extinction massive des « bips » ennemis laissaient augurer un dénouement très positif. Les opérateurs se débrouillaient comme de vrais artistes.

Un peu de toute cette tension nerveuse accumulée depuis le début de l'opération commençait à se faire sentir. Gardalian soupira.

Tout était bien, finalement.

Succès sur toute la ligne.

Ces salauds de traîtres seraient décrétés héros-martyrs, pour ceux à qui serait servie la version du complot civil. Et pourquoi pas, cette version pourrait être, au bout d'un certain temps, offerte également aux populations civiles ? Il faudrait voir... Général Bond, général Saint-André, colonel Delatour : héros de l'U.F.A.M...

« La mort est la meilleure des maquilleuses, songea Gardalian. Elle vous déguise un fumier en héros comme rien ! »

Il se demanda qu'elle identité les services de protection de l'U.F.A.M. donneraient à ce sacré « complot civil ». Il leur faisait confiance.

Succès sur toute la ligne, oui. Des cicatrices à peine discernables.

La Dissuasion est le meilleur système de sécurité qui soit, pour garantir la Paix Mondiale. Les fausses notes, les grains de sable sont exclus. Inadmissibles. Inconcevables. C'est ce qui fait la force même du système.

Gardalian sursauta. Les premières explosions sourdes s'élevaient en chapelet audessus des murailles de Canjuers IV.

***

Spori Dunove, hébété, regardait l'écran bleu sur lequel scintillaient encore une dizaine de virgules. Plus un seul bip ennemi.

Il demanda et obtint une vision globale du champ de bataille. Il était à peu près le seul à avoir conservé des effectifs.

C'était fini.

C'était gagné.

Il attendait que l'ordre de quitter son poste lui parvienne. Epuisé, il savait que la réaction nerveuse viendrait plus tard. Il avait gagné la partie, et son admission dans les rangs de l'U.F.A.M.

Le jeu avait duré une heure. Pile.

*
* *

Il était assis, le fusil serré contre sa poitrine, au milieu des cadavres.

Sa respiration sifflait, amplifiée par le masque. Il ne comprenait rien de ce qu'il voyait autour de lui. Il était vide. Et il avait peur.

*
* *

Le black-out sur « zone zéro » fut levé à vingt heures. Il n'avait pas duré vingt-quatre heures.

Les manœuvres exceptionnelles firent officiellement sept cent trente et une victimes... en comptant dix « bavures » civiles d'imprudents qui n'avaient pas respecté les consignes et virent ce qu'ils n'auraient pas dû voir. Le chiffre ne fut pas communiqué. De toute façon, si les routes avaient été ouvertes normalement, les accidents de circulation auraient multiplié ce chiffre par deux...

CHAPITRE XII

Jerry Mungan fume dans sa pipe un mélange tout exprès confectionné pour lui, tout en lisant de vieux livres rares et en écoutant les nouvelles du monde... Tout va bien, il ne se passe rien de spécial.

William C. Usher a levé une fille plutôt chouette dans un bar et il est parti avec elle (mais elle doit être cinglée pour lui trouver Dieu sait quoi de séduisant) et ça durera ce que ça durera, en attendant cette gamine a un sacré joli petit cul et un sacré joli petit autre chose entre les cuisses, et tout le reste, et ça ferait bien suer William C. si par hasard, quelle connerie, la fin du monde arrivait.

Il fait soleil sur New New York, les amis. Dans le monde ça tourne rond. Le monde ressemble au joli petit cul de cette gamine un peu dingue. Voilà à quoi ça ressemble, parfaitement, le bonheur : un joli petit cul à votre disposition et vous pouvez y mettre la patte tant que ça vous chante, la patte et le reste, sans risquer de prendre une paire de tartes. Vive la vie.

Félipe Varga a trucidé un touriste débarqué en droite ligne d'un coin quelconque du globe. Il va pouvoir acheter un magnétophone pour Mariana. Tout baigne.

Taka Uko-Tagaku, allongé sur le dos, mains croisées sous la nuque, regarde les zébrures lumineuses projetées par l'enseigne lumineuse...

Il est assis sur la couchette, dans la cellule du centre de recherches, quartier top secret. Mais il n'en sait rien.

Il regarde le vide.

Il ne sait plus qui il est... Et les médecins pas davantage. C'est-à-dire que les médecins ignorent son identité, mais ils savent qu'il est un des douze survivants de l'opération « Virgules téléguidées ». Les médecins ont dit qu'il était à jamais perturbé, que son cerveau avait subi des dommages irréparables.

Il est assis et ne regarde rien. Ou s'il voit quelque chose, il est le seul à savoir de quoi il s'agit.

FIN

DÉJA PARUS DANS LA MÊME COLLECTION

VIENT DE PARAÎTRE :

Maurice Limat   *Moi, le feu*

A PARAÎTRE :

Frank Dartal   *La terre est une légende*

Achevé d'imprimer le 20 décembre 1979
sur les presses de l'Imprimerie Bussière
à Saint-Amand (Cher)

— N° d'impression : 1875. —
Dépôt légal : 1er trimestre 1980.

Imprimé en France

PUBLICATION MENSUELLE